100 LETTERS that Changed the World

世界を変えた 100の手紙

聖パウロからガリレオ、ゴッホまで

コリン・ソルター[著]
Colin Salter

伊藤はるみ[訳]
Harumi Ito

原書房

世界を変えた
100の手紙

㊤

聖パウロからガリレオ、ゴッホまで

原書房

[目次]

はじめに

人類が言葉を文字として記録することを覚えて以来、手紙は歴史の上でさまざまな役割を果たしてきた。国家の運命を左右するような極めて重要な手紙や大事件の記録を後世に伝えた手紙もあるが、そうでなくとも今に残る手紙の多くは、過去のある時点の生活についていろいろなことを私たちに考えさせてくれる。

親愛なる読者の皆さんへ

　ここで前書きに代えて、皆さんに短い手紙を書くのも一興かと思う。そもそもこれは有名無名を問わず、さまざまな人々がこれまでに書いてきた手紙についての本なのだから。これから見ていく中には私的な内容の手紙、公的な手紙、公開された手紙があり、命令する手紙もあれば服従を拒否する手紙もある。初めての手紙、受取人から次の受取人へと次々に書かれたチェーンレター、最後の手紙、失われた手紙、電報、そして開戦前夜に送られた決定的なメッセージもある。

　結果的に見れば歴史を変えることになった手紙もあれば、そうならなかった手紙もあるが、いずれにせよ歴史上の意味があることに変わりはない。79年のヴェスヴィオ火山の噴火を目撃した小プリニウスの体験は歴史を変えはしなかったが、彼がタキトゥスに送った手紙に記した目撃談によって、後世の考古学者たちは噴火により埋没したポンペイおよびヘルクラネウムを発掘するための手がかりを得ることができたのだ。小プリニウスの叔父にあたる大プリニウスは噴火の調査中に死去したが、克明な記録を残しており、後世の火山学者はこのヴェスヴィオ火山と同タイプの噴火

を彼の名にちなんでプリニー式噴火と呼んでいる。

　個人的な心情をさらけ出す内容の手紙もある。たとえばヘンリー8世が新しい愛人アン・ブーリンにあてた恋文は、なぜか今はバチカン市国にたどり着いてそこの図書館に保管されている。個人的な心情といえば、ピエール・キュリーがやがて彼の妻になるマリアに宛てた、単なる研究仲間としての関係を越えて生涯のパートナーとなるきっかけとなった手紙もある。それはパリでの留学期間を終えて祖国ポーランドに帰ることになっていたマリアに、パリで研究を続けるよう誘う内容の手紙だった。

　手紙を受けとったことで人

> On board R·M·S·"TITANIC."
> Sunday afternoon
> My dear ones all,
> As you see it is Sunday
> afternoon & we are resting
> in the Library after Luncheon
> I was very bad all day yesterday
> could not eat or drink, & sick
> all the while, but today I have
> got over it, this morning Eva
> & I went to church & she was so
> pleased they sang, oh God our
> help in ages past, that is her
> Hymn she sang so nicely, so
> she sang out loud, she is
> very bonny, she has had a
> nice Ball & a box of Toffee

沈没したタイタニック号の乗客が書いた手紙はしばしばオークションに出品され、高値で落札されている。RMSタイタニック号（RMSはロイヤル・メール・シップの略）が郵便物を運搬する任務を果たさないまま沈没してしまったことを考えれば皮肉なものだ。

生が変わり、世界に大きな変化をもたらす結果となった科学者はマリー・キュリーだけではない。若き日のチャールズ・ダーウィンに、イギリス海軍の測量船ビーグル号が同行する博物学者を募集していることを知らせたのは、彼に日常的に届いていたいくつかの通知のうちの1通だった。しかしそれに応じたダーウィンは、ビーグル号による5年間の旅から彼の「自然選択説」の着想を得たのである。現代科学の先駆者たちによる報告の中には、1609年にガリレオ・ガリレイが自作の望遠鏡で発見した木星の衛星

について記した手紙、ライト兄弟が歴史的な初飛行を終えた直後に送った電報もある。レオナルド・ダ・ヴィンチが1480年頃にミラノ公に送った履歴書と添え状には、彼ならではの輝かしい経歴が書かれている。

　あるいはまたロバート・オッペンハイマーに原子爆弾の開発を推進するよう促した手紙もあるが、興味深いことに、その手紙は原子爆弾に直接言及してはいない。彼の経歴の始まりを告げたのがその手紙だとしたら、終わりを告げたのは彼を共産主義者のスパイだと訴えたウィリアム・ボーデンの手紙だった。オッペンハイマーが生みだしたもの――原子爆弾――は世界を破滅の一歩手前まで追いこんだこともあった。1962年のキューバ危機だ。しかしソ連首相ニキータ・フルシチョフとアメリカ大統領ケネディとのあいだで交わされた書簡により、最悪の事態は回避された。

　オッペンハイマーのスパイ疑惑は濡れぎぬだったが、この本にはスパイ行為にかかわる手紙もたくさん出てくる。イギリス植民地マサチューセッツ州の総督の真意をベンジャミン・フランクリンに秘かに伝えた手紙があり、ジョージ・ワシントンがアメリカで最初のスパイ組織の創設を認める手紙もある。ソ連のスパイだったイギリス人ガイ・バージェスについて、共産主義にかぶれていた時代をふりかえって・は・し・か・にかかっていたようなものだと記した手紙もある。

　イギリスのスパイ組織は16世紀にすでに成立しており、スコットランド女王メアリーとその配下がイングランド女王エリザベスの暗殺についての謀議をこらす手紙を入手し、エリザベスの暗殺を未然に防いだこともあった。第二次世界大戦中、イギリスのブレッチリー・パークにあったドイツ軍の暗号を解読するための組織が、チャーチル首相に予算の増額を直訴した手紙もある。のちに彼らがドイツ軍の暗号解読に成功したおかげで、戦況が連合国側の有利に傾いたとも言われている。

　歴史を振りかえれば、何百万もの人々の運命を変えた憎むべき戦争がいくつもあった。この本で最初に採りあげた手紙は、古代ギリシアで勢力を拡大していたマケドニアの王から送られた降伏を迫る手紙に、スパルタの

指揮官が答えた誇り高くも素っ気ない手紙だ。ほかにも同盟国の指導者（ローズベルトとチャーチル、ヒトラーとムッソリーニなど）が交わした手紙、敵国の指導者に送った手紙（ナポレオンがロシアのアレクサンドル1世に送ったものなど）、勝者と敗者が交わした手紙もある。南北戦争のさなかに北軍のシャーマン将軍が陥落させたアトランタの市民に宛てた手紙は、戦争には非情な行為が必要なこともあると静かにていねいに語っていた。一方、真珠湾が攻撃されたことを伝える第一報は、短く簡潔な電報だった。

　戦時の手紙には個人の心情を家族に語ったものもある。南北戦争に従軍

1962年のキューバ危機に際してソ連のフルシチョフ首相がアメリカのケネディ大統領に送った手紙。これはまさに、歴史を変えた手紙だ。

DECLASSIFIED
E.O. 11652, Sec. 3(E) and 5(D) or (E)
State Dept Bulletin no.1795
By____ NARS, Date 11/27/73

DEPARTMENT OF STATE
DIVISION OF LANGUAGE SERVICES

(TRANSLATION)

LS NO. 45989
T-85/T-94
Russian

[Embossed Seal of the USSR]

Moscow, October 23, 1962

Mr. President:

　I have just received your letter, and have also acquainted myself with the text of your speech of October 22 regarding Cuba.

　I must say frankly that the measures indicated in your statement constitute a serious threat to peace and to the security of nations. The United States has openly taken the path of grossly violating the United Nations Charter, the path of violating international norms of freedom of navigation on the high seas, the path of aggressive actions both against Cuba and against the Soviet Union.

　The statement by the Government of the United States of America can only be regarded as undisguised interference in the internal affairs of the Republic of Cuba, the Soviet Union and other states. The United Nations Charter and international norms give no right to any state to institute in international waters the inspection of vessels bound for the shores of the Republic of Cuba.

　And naturally, neither can we recognize the right of the United States to establish control over armaments which are necessary for the Republic of Cuba to strengthen its defense capability.

　We reaffirm that the armaments which are in Cuba, regardless of the classification to which they may belong, are intended solely for defensive purposes in order to secure the Republic of Cuba against the attack of an aggressor.

His Excellency
　John Kennedy,
　　President of the United States of America

していたサリバン・バルーが戦闘の前夜に妻セアラへの愛情をこめて書いた手紙は、1861年のブルランの戦いで戦死した彼の私物から見つかった。第一次世界大戦に従軍した戦争詩人ジーグフリード・サスーンが新聞社に送った公開状は大義を失った戦いを続ける軍の指揮官を批判していたが、結果的に彼は戦死を免れることができた。ジョン・F・ケネディ元大統領は第二次世界大戦中に乗っていた哨戒魚雷艇が沈没し、南太平洋の無人島から救出を求める手紙をヤシの実の殻に掘りつけて近くを通った小舟の現地人に託した。

　現代のスパイは軍事よりビジネスや政治にかかわる秘密を探ることが多いようだ。ホワイトハウスの秘密機関員だったジェームズ・マッコードがウォーターゲート・ビル侵入事件の真相を告白する文書を裁判官に提出したことで、事件は大統領を巻きこむ大スキャンダルになった。近年は勇気ある内部告発者が現れるようになり、アメリカの巨大エネルギー企業エンロンからアメリカ国家安全保障局まで、さまざまな組織の悪事があばかれている。自分が不利益をこうむる可能性を知りながらもあえて不正をあばいた内部告発者たちのおかげで、社会は少しずつ透明性を増し、よい方向に向かっている。

　イギリスではイランで大量破壊兵器の査察を行ったデイヴィッド・ケリー博士が国防省に宛てた手紙で、ブレア首相がイラク戦争に参戦するために利用した「疑惑の調査報告書」に疑念を示したのは自分だと認めた。報告書に関する疑惑が報道されると、博士はマスコミと政治家の両方から追及されることになる。多くの関係者が巻きこまれ、博士自身は自殺に追いこまれた。自殺といえば、遺書だ。遺書を読むのはつらいことだが、興味深くもある。ヴァージニア・ウルフが夫に宛てた遺書は、読む者の胸をしめつけるような悲痛なものだった。フランスの詩人ボードレールが遺書のつもりで恋人に書いた手紙もある。彼はその手紙を書いてから自分の胸を刺したが傷は急所を外れ、彼は死ぬ代わりに素晴らしい傑作を書くことになる。

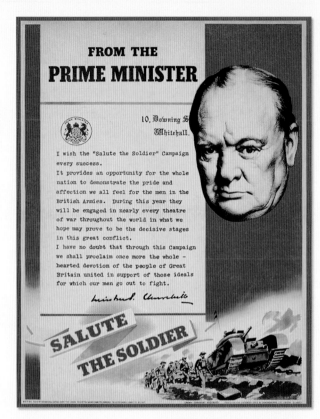

チャーチル首相は手紙よりも人々を奮い立たせる数々の名演説のほうが有名だが、第二次世界大戦中に軍備増強のための募金への協力を訴える「兵士諸君に敬礼を」キャンペーンのために手紙を書いた。

　この本には画家や音楽家の手紙もある。世界中の子どもに愛されているビアトリクス・ポターのピーターラビットの物語は、ポターが友人の子どもである幼い少年のために書いた絵手紙が始まりだった。フィンセント・ファン・ゴッホは弟のテオに宛てた手紙で芸術論を展開している。モーツァルトが死の直前に妻に書いた手紙を読めば、彼がいかに作曲の仕事に追われる多忙な日々を過ごしていたかがわかる。ポップ・ミュージシャンに関する手紙もある。若いころのビートルズが、当時のイギリスで最大のレコード会社からオーディション落選の手紙を受けとったとは信じられない話だが、事実だった。

　オスカー・ワイルドの手紙も出てくる。ただし彼らしい機知にあふれる

言葉を連ねたものではなく、レディング刑務所に収監された彼がそれまでの自分の荒れた生活を省みて書いた手紙だ。マルティン・ルーサー・キング・ジュニアも刑務所から、彼がそこに入る原因となった人種差別反対運動に対する批判に反論する公開状を書いた。ロシアの反体制女性パンクロック・グループ「プッシー・ライオット」のメンバー、ナジェージダ・トロコンニコワは教会の聖堂内でライブ・パフォーマンスをした「フーリガン行為」の罪で拘留されていた刑務所で哲学の大学教授と文通し、意見を交換していた。

　キングと同様に南アフリカのネルソン・マンデラが書いた、何世紀も続くアフリカ系アメリカ人やアフリカ先住民の市民権闘争に関する手紙もある。アメリカ合衆国の理想を語るエイブラハム・リンカーン、ジョージ・ワシントン、ウィリアムズとエレノアのローズベルト夫妻が書いた手紙もある。不平等との戦いは人種問題だけではない。2018年に新聞に掲載された「タイムズ・アップ（もう終わりにしよう）」と書かれた公開状には、エンターテインメント業界で働く300人の女性たちが署名していた。公開状は、芸能界に限らずあらゆる場面で優位な立場の男性による性的虐待がある現実を訴え、その防止を求めていた。1776年、アビゲイル・アダムズは夫でアメリカ合衆国建国の父のひとりだったジョン・アダムズに宛てた手紙で、彼が起草に加わっていた合衆国憲法には女性の地位を守る条項を入れてほしいと書いたが、夫のジョンはそれを妻の冗談と見なしていた。「タイムズ・アップ」の公開状がアビゲイルの手紙より大きな変化をもたらすことを願わずにはいられない。

　この本で採りあげた手紙はどれも、何か私たちに訴えかけるものがある。手紙を書いた人物、あるいは受けとった人物と私たちとのあいだを強く結びつけ、それが書かれた時代と現代をつなぐ何かがある。手紙を記した紙、インク、そこに書かれた文字を目にすれば、その時代が生き生きと感じられる。

　私は手紙が好きだ。封筒に入って、消印を押され、コンピューターの

メールボックスではなく、実体のある郵便受けに配達された手紙が好きだ。今は誰でもEメールをやりとりし、紙に書かれた手紙は姿を消しつつある。しかしどんなに私的なやりとりでも、Eメールは完全に私的なやりとりではあり得ない。

Eメールは手書きではない。書き手が選んだ便箋に書かれていない。プロバイダーや国家の安全保障機関などに読まれる可能性がある。見た目はどれも同じようなもので、うっかりキーボードに触れればデリートされてしまう。香りもない！ きれいな箱に入れてとっておくことも、札入れにしのばせて身に

王妃となったアン・ブーリンの美しい手書き文字。これはヘンリー8世と前王妃キャサリンを離婚させ、王と彼女との結婚を実現するために教皇庁との折衝にあたったウルジー枢機卿に謝意を伝える手紙。

つけ、ときどきそっと読みかえすこともできない。いとしい宝物にはなり得ない。

さて、私の手紙への愛を語るのはこの辺にしておこう。この本が気に入っていただければ嬉しく思う。もし気に入ったら、私に手紙を書いてくれませんか？

ご多幸を祈りつつ
コリン・ソルター

001

スパルタ人がマケドニアの フィリッポス2世の手紙に 返答する

［前346年頃］

素っ気ない文章を意味する「ラコニック・フレーズ laconic phrase」という英語表現がある。傲慢で居丈高な相手の言葉や態度に対し、機知に富んだ言葉で簡潔に答えることだ。この表現は古代ギリシアの都市国家スパルタがあった地域の呼び名「ラコニア」に由来している。

ス パルタ人には戦闘的なイメージがある。スパルタに生まれた男子は7歳から戦闘の基礎訓練を受けていた。その訓練には「言いかえす」能力の育成も含まれており、問いかけに対して「ラコニック」でない応答をした者には罰が与えられた。20歳から30歳までの男性には兵役が課せられ、その後も60歳までは招集があれば軍務につく予備役を課せられていた。戦場に向かうスパルタ人男性の妻は、夫に楯をわたして「この楯とともに、さもなければこの楯に載って」と語りかける儀式をしていた。勝利をおさめて帰ってほしいが、遺体となった夫を迎える覚悟もできているというわけである。

一方スパルタの北方では、マケドニアを統一した王の三男であるフィリッポス2世が王位について勢力を拡大していた。父王は長命だったが、その息子たちは暗殺や戦死によって若くして命を落とし、前350年に兄の息子である甥を退けて三男フィリッポスが王位についたのだ。

王位についた経緯には疑問があるものの、フィリッポス2世は有能な統治者だった。士気の衰えていたマケドニア軍を鼓舞して次々に隣国を侵略し、領土を拡大していく。マケドニア軍の勇名が高まるにつれて、近隣諸

国はマケドニアが侵略のそぶりを見せるだけで降伏するようになっていた。そして前346年頃、フィリッポス2世はスパルタの指導者に降伏をうながす手紙を送る。「今すぐ降伏することを勧める。さもなければわが軍が汝らの国に攻め入り、農地を荒らし、国民を奴隷にし、国を壊滅させる」という内容だった。傲慢な態度である。スパルタ軍は300年以上にわたり古代ギリシア世界で最強の軍隊だと見なされてきたが、前371年にテーバイと戦って敗れて以来、スパルタ国内では奴隷の反乱などもあって国力が揺らぎつつあった。フィリッポス2世はそうしたスパルタの不安定な状況を敏感に察知していたのかもしれない。しかしスパルタ人の返答は「If(やれるものならやってみろ)」の一言だけだった。

　フィリッポス2世はまた別の機会に「私は汝らの国に友として入るがいいか、敵として入るがいいか」という手紙を書いたとも伝えられている。それに対するスパ

スパルタ軍の重装歩兵(市民兵)。スパルタ兵の制服である赤いマントは、戦闘時には脱ぎ捨てられた。

ギリシアのオリンピアにあるフィリペイオンの遺跡。前338年のカイロネイアの戦いにおけるマケドニア軍の勝利を記念してフィリッポス2世が献納したもの。マケドニア軍はその戦闘でアテナイ＝テーバイ連合軍に圧勝し、フィリッポス2世は全ギリシア——スパルタ以外の——を支配下においた。

ルタ人の答えは「Neither(どちらもごめんだ)」の一言だった。

　フィリッポス2世は前336年に娘と近隣の国の王子との婚礼の場で暗殺された。その王位を継いだのが息子アレクサンドロス3世(大王)である。アレクサンドロス大王はインド亜大陸にまでおよぶ広大な版図を築いたが、マケドニア軍がスパルタに侵攻することはなかった。

002

カエサルの暗殺者たちは
自分たちの身の振り方を
心配している

［前44年3月22日］

**ユリウス・カエサルの暗殺計画に加わっていた人物たちのあいだで交わされた27通の
手紙が、さまざまなコレクションに散らばって保管されている。2000年以上前に書か
れたこれらの手紙の内容が現在に伝えられているのだ。**

誰もが知る古代ローマの英雄ユリウス・カエサルはすぐれた軍司令官
であると同時に有能な政治家でもあった。軍人として、元老院の許
可なく多くの軍事遠征をかさねたのち、共和制末期のローマで政界に転
じ、最終的には独裁官となる。

　共和制ローマを支配していたのは元老院だった。元老院はカエサルに
数々の名誉と称号を与えたが、カエサルが共和国の民主制をそこなってい
ると危惧する議員もあった。元老院議員カッシウスとその義兄弟ブルトゥ
スは、独裁者となる危険のあるカエサルの暗殺を企てる。そして前44年3
月15日（イードゥス・マルティアエ —— 各月のまん中の日は古来より借りを返す日とされて
いた）、ポンペイウス劇場の回廊で、カエサルは23か所もの刺し傷を受けて
絶命した。

　暗殺にはそれなりの準備が必要だ。したがって陰謀に参加した人々は互
いの家で会合をかさねてはいたが、実行前に計画を文字で残したものは少
ない。しかしいざ決行して大さわぎになると、そのわずか数日後にブル
トゥスがカッシウスに書いた手紙を見てもわかるように、参加者たちは自
分のその後について大きな不安を抱いていたようだ。その時点で彼らが
いっせいに捕えられ処刑されていなかった事実を見れば、当時の状況が単

デキムス・ブルトゥスがマルクス・ブルトゥスとカッシウスに書いた手紙

……このような苦境にある私たちがローマを離れるための正当な口実として、何らかの名誉ある地位を与えてほしいとお願いします。ヒルティウスは私にそのような地位を与えると約束しましたが、彼が約束を守るという確信がもてません。彼らは私たちに敬意を表することがなく、厄介者のように扱い始めています。それに、たとえ彼らが私たちに何らかの地位を与えたとしても、近いうちに私たちが社会の敵であると宣言されたり、犯罪者として裁かれたりすることは避けられないのではないかと思われます。

「ならばどうせよと言うのか?」と言われますか。そう、私たちは運命に従うしかありません。イタリアを去ってロードス島かどこかへ行くしかないでしょう。事態が好転すれば、またローマにもどります。そうならなければ、私たちはローマを追放されたまま生きるしかないでしょう。最悪の場合、私たちは自分の身は自分で守る覚悟をしています。

あなた方の中には、どうしてすぐに何らかの行動を起こさないのかと言う人もいるでしょう。しかし中心となって私たちを結集する人物がいないのです。セクストゥス・ポンペイウスとカエシリウス・バッススだけはカエサル死去の報を聞いても毅然としているかもしれません。彼らが揺るぎない信念の持ち主とわかれば、彼らのもとに結集するべきなのでしょう。あなたとカッシウスが望むことなら私は何でもします。ヒルティウスも私にそうしろと迫っているのです。

できるだけ早くあなた方ふたりからのお返事をいただきたい。ヒルティウスは今日のうちにも私たちに処遇を伝えるでしょうから。どこへ行ったらあなた方にお会いできるか、すぐにも返事をいただきたい。

ヒルティウスと最後に話して以来、私たちがローマにいるあいだは公費で私たちに護衛官をつけてほしいと強く願っていましたが、その願いがかなえられることはないでしょう。そんなことをすれば彼らは非難の渦に巻きこまれるでしょうから。それでも私は自分が正当だと思う要求をひかえるべきではないと考えたのです……

純でなかったことがわかる。カエサルの暗殺を誰もが怒り悲しんだわけではなかった。しかしカエサルともっとも親密な関係にあったマルクス・アントニウスは殺害されなかった。暗殺者たちは独裁者を排除したかったのであって、政治体制を変革する意図はなかった。

それでもこの手紙を書いたブルトゥスは「私たちはローマにいては危険だ」と書いている。そしてカエサルに忠誠を誓っていた人物が復讐しようとするかもしれないから「私たちがローマにいるあいだは公費で私たちに

護衛官をつけてほしいと強く願っていましたが、その願いがかなえられることはないでしょう。そんなことをすれば彼らは非難の渦に巻きこまれるでしょうから」と考えている。

　その一方でブルトゥスはマルクス・アントニウスと交渉してローマを離れる算段もしていた。属州のどこかの総督として赴任させてほしいと頼んだようだが「私を派遣できる属州はないと言われた」らしい。だからこそ彼は「私たちがローマを離れるための正当な口実として、何らかの名誉ある地位を与えてほしいとお願いします」とカッシウスたちに書いたのだ。彼

ヴィンチェンツォ・カムッチーニ『カエサルの死』1844年。ローマ国立近代美術館。

は少なくともしばらくのあいだは追放者として暮らすことを受けいれる覚悟をして「事態が好転すれば、またローマにもどります。そうならなければ、私たちはローマを追放されたまま生きるしかないでしょう」と書いている。

　もしマルクス・アントニウスがカエサルの後任の執政官になることを望んでいたなら、彼は失望することになる。カエサルは自分の姪の息子オクタウィアヌスを養子として自分の後継者に指名していたのだ。すでにカエサルがローマの独裁者としての地位を固めていたので、カエサルの暗殺後もローマを民主制にもどすことは不可能になっていた。カエサル後のローマは皇帝による独裁体制をもつローマ帝国となるのだ。

　執政官となったオクタウィアヌスが最初にしたことは、カエサル暗殺に加担した人々を殺人者として断罪することだった。ガイウス・ユリウス・カエサル・オクタウィアヌスと改名した彼を支持するグループと敵対グループとのあいだに内戦がおこり、ブルトゥスとカッシウスはギリシアに逃れてそこで挙兵する。しかしフィリッピの戦いでオクタウィアヌスとアントニウスの連合軍に敗れ、ふたりは自殺した。

003

聖パウロがキリスト教の
教義について語る

[50年頃]

使徒パウロが書いたとされる手紙(使徒書簡)は新約聖書のほとんど半分——27書の
うちの13書——を占めている。この膨大な量のパウロ書簡により四つの福音書を基
本理念とするキリスト教会が成立した。

パウロはイエスと同時期に産まれた。実際、ふたりは同年齢だった。しかし、サウルという名前だったパウロはパリサイ人のユダヤ教徒で、初めはキリストの信者たちをきびしく迫害していた。キリストが十字架にかけられた数年後、キリスト教徒を捕縛するためにダマスカスに向かっていた彼の前にキリストが現れて「サウル、サウルよ、あなたはなぜ私を迫害するのか」と問いかけた。サウルが「あなたはどなたですか」とたずねるとキリストは「私はあなたたちが処刑したキリストです」と答えた。

　新約聖書使徒言行録によれば、それからパウロは一時的に視力を失った。3日後に視力を回復した彼はすぐにキリスト教に改宗し、旅をして福音を伝え、行く先々で出会ったキリスト教徒に教団としてまとまったり、教会を組織したりするよう勧めた。そして各地の信徒たちの信仰をささえ、深めるために手紙を書いた。パウロが手紙に書いた助言や神学上の明確な教えはその後のキリスト教の基本理念となっている。

　パウロの信仰の中心にはキリストが十字架にかけられたことによる救済——キリストの死によって人間に与えられていた罪が償われたという考え方——がある。キリストを信じる者はキリストが再び現れる最後の日の救済が約束されるのだ。「死んだ者は罪から解放されています」とパウロは

パウロによるコリントの信徒への手紙（1）

13章

1 たとえ、人々の異言、天使たちの異言を語ろうとも、愛がなければ、わたしは騒がしい銅鑼、やかましいシンバル。

2 たとえ、預言する賜物を持ち、あらゆる神秘とあらゆる知識に通じていようとも、たとえ、山を動かすほどの完全な信仰を持っていようとも、愛がなければ、無に等しい。

3 全財産を貧しい人々のために使い尽くそうとも、誇ろうとしてわが身を死に引き渡そうとも、愛がなければ、わたしには何の益もない。

4 愛は忍耐強い。愛は情け深い。ねたまない。愛は自慢せず、高ぶらない。

5 礼を失せず、自分の利益を求めず、いらだたず、恨みを抱かない。

6 不義を喜ばず、真実を喜ぶ。

7 すべてを忍び、すべてを信じ、すべてを望み、すべてに耐える。

8 愛は決して滅びない。預言は廃れ、異言はやみ、知識は廃れよう。

パウロによるローマの信徒への手紙

13章

1 人は皆、上に立つ権威に従うべきです。神に由来しない権威はなく、今ある権威はすべて神によって立てられたものだからです。

2 従って、権威に逆らう者は、神の定めに背くことになり、背く者は自分の身に裁きを招くでしょう。

3 実際、支配者は、善を行う者にはそうではないが、悪を行う者には恐ろしい存在です。あなたは権威者を恐れないことを願っている。それなら、善を行いなさい。そうすれば、権威者からほめられるでしょう。

4 権威者は、あなたに善を行わせるために、神に仕える者なのです。しかし、もし悪を行えば、恐れなければなりません。権威者はいたずらに剣を帯びているのではなく、神に仕える者として、悪を行う者に怒りをもって報いるのです。

5 だから、怒りを逃れるためだけでなく、良心のためにも、これに従うべきです。

6 あなたがたが貢を納めているのもそのためです。権威者は神に仕える者であり、そのことに励んでいるのです。

7 すべての人々に対して自分の義務を果たしなさい。貢を納めるべき人には貢を納め、税を納めるべき人には税を納め、恐るべき人は恐れ、敬うべき人は敬いなさい。

ローマの信徒への手紙に書いている。「なぜなら、罪は、もはや、あなたがたを支配することはないからです。あなたがたは律法の下ではなく、恵みの下にいるのです」

　この神との約束を信じるならば、キリスト教徒はこの世の罪とはかかわらないようにする義務がある。律法に盲目的に従うよりも、より高い正義の心をもちイエスを信じることのほうが重要なのだ。コリントの信徒への手紙には、わたしたちは「目に見えるものによらず、信仰によって歩んでいる」とある。またローマの信徒への手紙12章でパウロは「あなたがたはこの世に倣ってはなりません。むしろ、心を新たにして自分を変えていただき……」と書いている。

　こうした教えは現代のキリスト教徒が当然と見なしていることだが、キリスト教が誕生して間もないころにパウロの手紙によって初めて明確に書

ヴァランタン・ド・ブーローニュ『書簡を書く聖パウロ』。1618–1620年頃。

ダブリンのチェスター・ビーティー図書館にはエジプトで発見された聖パウロの「ローマの信徒への手紙」の古い写本が所蔵されている。

かれたものだったのだ。キリスト教徒であるなしにかかわらず、パウロが手紙に記した内容には一定の普遍性があることはたしかだ。彼の言葉の多くは、寛大な心と仲間の人間に対する純粋な愛情を感じさせる。そうした心情はコリントの信徒への手紙に次のように美しく表現されている。

> 愛は忍耐強い。愛は情け深い。ねたまない。愛は自慢せず、高ぶらない。礼を失せず、自分の利益を求めず、いらだたず、恨みを抱かない。不義を喜ばず、真実を喜ぶ。すべてを忍び、すべてを信じ、すべてを望み、すべてに耐える。［コリントの信徒への手紙(1)13章4−7節］

004

木板に書かれた手紙が
ローマ帝国の辺境における
生活を今に伝える

［100年頃］

1970年代、イングランド北部にローマ帝国軍が築いたウィンドランダ要塞の遺跡から数百点におよぶ書簡が発掘された。それらは西暦90年代に記されたもので、当時としてはイギリスで発見された最古の手書き文書だった。

ウィンドランダ要塞はローマの兵士にとって行きたくない任地だった。「ウィンド Vind」は現代英語の「冬 winter」と同じ語源の単語だった。ローマ帝国領の最北端にある要塞のひとつで冬は非常に寒く、雨が多いせいで敷地内がじめじめしていた。そうした環境にあって少しでも暮らしやすくするため、ローマ人は宿舎の土を固めた床を藁と苔で作った粗末な敷物でおおっていた。

床に落ちた物は繊維にからまって見つからないまま捨ておかれ、上から新しい敷物が重ねられる。このじめじめした環境のおかげで、当時のさまざまな遺物が後世にたくさん残ったのだ。手紙は薄くけずった葉書ほどの大きさの木の板にインクで書かれていた。すべてラテン語で書かれており、それまで知られていなかった書体で書かれたものもあったが、今では解読されている。ただ

ウィンドランダ要塞はブリテン島の北部、ハドリアヌスの長城の近くにあり、85年から370年頃まで駐屯兵がいた。ノーサンバーランド州バードン・ミル村に近い遺跡に、ふたつの塔が再建されている。

ウィンドランダ要塞ではこれまでに750枚以上の木片が発見されており、発掘は今も続いている。木片に記された手紙からは要塞における日常生活の様子が、ローマ人は下着のパンツ（スブリガリア）を身につけていたことも含め、生き生きと伝わってくる。

し一部の筆記体で書かれた箇所はまだ解読されていない。ウィンドランダ要塞に届けられた手紙もあれば、他の要塞に宛てた手紙の下書きもあり、その中には同じローマ領ブリテン島でもはるか南にある要塞に宛てたものもあった。

　これまでに約750通の手紙が書き写されているが、それらはこのローマ帝国の辺境における今まで知られていなかった日常生活を、生き生きとよみがえらせるものだった。手紙の量の多さから見ても、当時のローマ人の識字率がこれまでの予想より高かったことがわかる。士官クラスだけでなくあらゆる階級の兵士、あるいは兵士以外の一般人が書いた手紙もあったのだ。靴職人や左官が書いた手紙もあれば、荷馬車の修理人や浴場労働者の手紙もあった。

　「……靴下を何足か、サンダルを2足、下着のパンツを2枚サットゥスから送ります」と書かれた手紙は、小包に同封されていたに違いない。近くの別の要塞に赴任している士官の妻からウィンドランダ要塞にいる士官の

クラウディア・セヴェラからスルピチア・レピディナに宛てた誕生日の招待状

クラウディア・セヴェラです。こんにちは、レピディナ。9月11日に私の誕生日を祝うパーティーをしますので、あなたをご招待します。あなたが来てくだされば、私の誕生日は絶対にもっと楽しい日になると思います。チェリアリスにもよろしく伝えてください。アエリウスと私の息子からも彼にご挨拶を送ります。(別の筆跡で)レピディナ、あなたをお待ちしています。ではお元気で。(最初の書き手にもどって)

——チェリアリス夫人、スルピチア・レピディナ様へ、セヴェラより

ブリトン人の戦い方についての覚え書き

……ブリトン人は甲冑を着けていない。騎馬兵は非常に多い。だがあきれたことに奴らは馬上で剣を使わず、投げ槍も使わない。

妻に宛てた手紙は、誕生パーティーの招待状だった。

> クラウディア・セヴェラからスルピチア・レピディナに宛てた誕生日の招待状
> クラウディア・セヴェラです。こんにちは、レピディナ。9月11日に私の誕生日を祝うパーティーをしますので、あなたをご招待します。あなたが来てくだされば、私の誕生日は絶対にもっと楽しい日になると思います。チェリアリスにもよろしく伝えてください。アエリウスと私の息子からも彼にご挨拶を送ります。

この手紙の大部分は書記の手で書かれているが、クラウディア・セヴェラは手紙の末尾に自分の手で「レピディナ、あなたをお待ちしています。ではお元気で」と書きそえている。

これはもっとも早い時期に女性の手で書かれたラテン語の文である。

005

小プリニウスがタキトゥスに
ポンペイの噴火災害に関する
詳細な情報を伝える

［106–7年頃］

小プリニウス(61–107年頃)はローマの弁護士で、政治家でもあった。軍人、博物学者、著述家だった大プリニウスは彼の叔父だった。ふたりとも79年に噴火してポンペイの町を埋めてしまったヴェスヴィオ火山の噴火を経験している。この噴火について記した小プリニウスの手紙は、大災害に関する史上初の克明な記録である。

　　ーマ帝国の政治家だった小プリニウスは、生涯にいったい何通の手紙を書いたのだろう。現存するものだけでも、247通もあるのだ。まさに驚くべき文通家である。帝政ローマにおける日々の暮らしに関する彼の洞察の記録は、歴史家から高く評価されてきた。ローマにおける初期キリスト教徒の法的地位に関して彼とトラヤヌス帝とのあいだで交わされた書簡は、当時の状況を今に伝える貴重な文書だ。

　幼いころに父親が死去した小プリニウスは、ローマの叔父のもとで育てられた。大プリニウスと呼

THE
LETTERS
OF
PLINY the YOUNGER
With OBSERVATIONS on each LETTER;
And an ESSAY on PLINY's LIFE,
Addreſſed to
CHARLES Lord *BOYLE*.
By JOHN Earl of ORRERY.
VOLUME I.

LONDON,
Printed by *James Bettenham*,
For Paul Vaillant in the *Strand*.
MDCCLI.

小プリニウスが歴史家タキトゥスに書いた手紙

……そのようなわけで、私はあなたの要請に喜んで応えさせていただきます。あなたに求められなければ、自分からそうするつもりでした。叔父はそのときミセヌムで艦隊の司令官を務めていました。8月24日の昼を過ぎたころ、母が彼に向かって異常に大きくて奇妙な形をしたあの雲を見て、と言いました。彼はちょうど日差しを浴びて散歩してきたところで、冷たい水を浴び、軽い食事をして、読書を始めていました。急いで立ち上がった彼は屋外に出て、その異様な光景がよく見える所まで行きました。その距離からでは、初めのうちは雲のようなものがどの山から出ているのかはっきりしませんでした（そのうちにヴェスヴィオ火山だとわかりましたが）。その形はまるで松の木のようだったとしか言えません。とにかくまるで太い木の幹のような形をした雲が空高くまで伸び、そのてっぺんが枝のように横にひろがっていたのです。それは突然の強風が雲をなびかせたからか、雲が上昇する力が減少したせいなのか、あるいは自分の重みで雲が押しつぶされたのかはわかりませんがとにかく横に広がっていったのです。舞いあがった土やほこりの混じり具合によって、雲の色は明るく見えたり暗く見えたりまだらに見えたりしました。叔父のように知識欲の旺盛な人間にとって、これは滅多にない、詳しく調べずにはいられない現象でした。彼は部下に灯台船の用意を命じ、私も同行したければ連れて行くと言ってくれましたが、私はやりかけの仕事を続けることを選び、叔父はそれならと別の仕事も与えました。家から出ようとしたところで、彼はバッススの妻レクティナからの至急の連絡を受けとりました。彼女のいる別荘はヴェスヴィオ火山のふもとにあり、危険が迫っていて海から船で避難するしかないと訴えて、叔父に救助を懇願する内容でした。当初は知的好奇心を満たすために現地に向かうつもりだった叔父は、ここで人命救助というより高潔な目標をもったのです。彼は何艘かの軍船を準備させ、レクティナだけでなく美しい海岸線に沿って点在するたくさんの町の人々の救援のために出発しました。そうして噴火の進行とそれに伴うあらゆる現象、眼前にひろがる恐ろしい光景のすべてを観察し口述するために冷静な態度をたもちつつ、他の人間が恐怖にかられて逃げだしている場所へ、危険の真っただ中へ向かっていったのです……

ばれるその叔父を彼はとても尊敬していた。大プリニウスは当時ナポリの西にあるミセヌムでローマ艦隊司令官の職についていた。79年に小プリニウスが母親とともに叔父の任地を訪れていたとき、ナポリ湾の対岸に位置するヴェスヴィオ火山が噴火を始めた。

　対岸に住む人々に危険がせまっていると聞くと、大プリニウスは軽量艦

79年のヴェスヴィオ火山の噴火を描いた版画。小プリニウスは無事だったが、叔父の大プリニウスは噴火に巻きこまれて亡くなった。

の船団をひきいてヴェスヴィオ火山のふもとの岸にいる人々の救出に向かった。到着した現地の人々は恐怖のあまりパニックを起こしていたので、彼はあえて大したことではないかのようにふるまい、すまし顔で入浴したり食事をとったり仮眠をしたりして人々を落ちつかせようとした。しかしこうしてミセヌムへの帰還を遅らせたことが彼の命取りになったのだ。降ってきた瓦礫によって寝室に閉じこめられる寸前になってから、やっと海岸へ逃れた彼は火山性の毒ガスを吸って昏倒し、命を落とす。

　その25年後、ローマの歴史家タキトゥスは小プリニウスに手紙を書いて、噴火のさいの彼の体験を語ってほしいと依頼した。それに応じた2通の返信の中で、小プリニウスは激しい噴火のありさまを細大漏らさず精緻に描写した。その功績により、現代の火山学では類似した噴火形態をさして「プリニー式噴火」と呼んでいる。

　歴史書を読んでいて、そこに記された過去の出来事がまざまざと目に浮かんでくるという経験は珍しいことではない。プリニウスの記録もまさに

その種のものだ。地震で揺れる建物から逃げだした人々が向かった野原には「真っ赤に焼けた石や高温の灰が降りそそぎ、命の危険を感じた。彼らは枕を布切れで頭に縛りつけていた。それが雨あられと降ってくる石から身を守る唯一の手段だった」。

人々の恐怖が目に見えるようだ。「女たちの甲高い悲鳴、子どもたちの叫び声、男たちのわめき声が聞こえる。子どもを呼ぶ声が、父や母を呼ぶ声が、夫を呼ぶ声が……。死を恐れるあまり、いっそ今すぐ死にたいと叫ぶ者、両手をあげて神に救いを求める者もいるが、ほとんどの者は神などいないと思い、かつて聞かされた世界の終わりを告げる永遠の夜が訪れたのだと思っていた」

また彼は、救援に向かった先で落ち着きはらっていた叔父の、非常に人間的な姿を記している。「どうやら叔父は何も不安をいだかず、すこやかな眠りに入ったようだ。と言うのも、太っているせいで大きくよく響くいびきを立てる人だったのだが、その音が部屋の外にひかえていた従者に聞こえたらしいからだ」。著名な博物学者として知られた大プリニウスも、この時ばかりはいびきをかく太ったおじさん扱いである。

小プリニウスは自分の書いた手紙そのものについては、タキトゥスに「あなたが重要だと思ったらどの部分でも抜き出して使ってください。手紙と歴史書は別のものです。手紙は友に書くもので、歴史は多くの人のために書くものですから」と書いていた。とはいえ実際には、彼の書いた手紙はどんな読み手にとっても価値あるものだった。

006

ローマ帝国の滅亡に際し
属州ブリタンニアの住民が
援助を求める

［450年頃］

ローマ帝国の衰亡期、ローマ軍は遠隔地にある属州から徐々に撤退を始めた。撤退
の始まったブリタンニアではローマ属州時代に成立していたロマーノ゠ブリトン（ケルト系
先住民）の社会秩序が崩壊し、混乱の時代が始まりつつあった。

最後のローマ兵が去った407年、今はイングランドと呼ばれている一帯にはピクト人［スコットランドの先住民］、スコット族［ゲール人の一種族］、サクソン族［ゲルマンの一種族］などが侵入してきていた。まだローマ軍が駐屯していた時でさえ、ロマーノ゠ブリトンはローマ本国に援軍を依頼する必要を感じていた。368年にはもっとも遠隔地にあったハドリアヌスの長城に駐屯していた部隊が侵入してきた他民族とともに待遇改善を求めて反乱を起こした。ローマ本国は軍を派遣して反乱を鎮圧したが、390年代には北方からのピクト人の侵入を食い止めるためにロマーノ゠ブリトンはさらなる援軍の派遣を要請している。「これらの部族の侵入とそれによるブリタンニアのさらなる弱体化を食い止めるために、属州ブリタンニアは使節を送り、反撃のための援軍の派遣を涙ながらに懇願する次第です」

　ローマが再び軍を派遣したことで、当面の問題は解決された。しかし援軍がローマへ去ったとたん、今度は北海方面からスコット族とサクソン族が侵略してきた。ロマーノ゠ブリトンはまたしても使者に手紙を託す。「衣服は破れ髪はほこりにまみれた使節を派遣してもう一度お願いします。親鳥の翼だけをたよりにしてその下にうずくまるひな鳥である私たちは、私たちの社会が完全に抹殺されてしまうことのないようローマの援助

を乞い願います」

　ローマはしぶしぶ援軍を送る。だがそのころローマ本国も困難に直面していた。ヨーロッパの帝国領のあちらこちらで、ゲルマン系のヴァンダル

ブリトン人の王ヴォーティガンがケントのサネット島で傭兵のリーダー、ヘンギストとホルサに会う場面を描いた挿絵。この傭兵兄弟を招いたことでイングランド南東部への大規模な異民族の侵入が起こった。

人と西ゴート族が侵略を始めており、それに対応するため帝国内のあらゆる地域から軍隊を呼び集めているところだったのだ。407年にブリタンニア駐屯の全軍を引き上げさせたのもそのためだった。ローマ本国に見放されたブリトン人たちは激怒し、409年にローマ人の行政官たちを追放した。この行為は、かねてよりきっかけを求めていたローマ皇帝ホノリウスに、厄介者の属州ブリタンニアから410年に完全に手を引く口実を与えることになった。

　大陸からの援助が完全に断たれたブリタンニアは無力だった。アイルランドからの侵略者がウェールズなどの南西部を襲い、北東部ではピクト人が再び勢力を伸ばす。440年代までにはイングランドの東岸沿いにサクソン族が入植を始めていた。450年頃、ブリトン人は必死になってふたたびローマに救援を求める手紙を書いている。当時西ローマ帝国の実権をにぎっていた将軍フラウィウス・アエティウスに「ブリトン人のうめき the Groans of the Britons」という見出しをつけた手紙を送り、彼らの窮状をせつせつと訴えた。「侵略者は私たちを海に追いやり、海は私たちを侵略者たちのもとへ押しもどします。前に逃げても後ろに逃げても、殺されるかおぼれ死ぬかしかないのです」。しかし、ローマからの返答はなかった。

　最後の手段としてブリトン人の王ヴォーティガンは、大陸から傭兵を呼んだ――伝説によれば傭兵を率いていたのはヘンギストとホルサの兄弟だった――が、結果的に傭兵を招いたことでゲルマン系のアングル族、サクソン族、ジュート族が大挙してブリテンに侵入することになった（この出来事は「長いナイフの陰謀」と呼ばれる）。侵入したゲルマン系の部族はブリテンに彼らの生活様式、文化、言語をもちこんだ。「ブリトン人のうめき」はイギリス史におけるひとつの時代の終わりを告げる声であり、新しい言語としての英語、およびイングランドという国が誕生する産声でもあった。

007

マグナ・カルタ(大憲章)の制定により、イングランドの貴族が彼らの政治力を伸ばそうとする

［1215年6月19日］

マグナ・カルタの制定はイギリスの民主主義の歴史における画期的な出来事だった。貴族たちの圧力に屈したイングランド王ジョンが、君主が自明のものとして行使してきた絶対的権力を放棄したのだ。最近発見された1通の手紙を読むと、ラニーミードでジョン王がマグナ・カルタに署名したことがいかに革命的なことだったかがよくわかる。

中世においては政治における権力争いは情け無用のゲームだった。ジョン王の兄は若いころ父親ヘンリー2世に反逆し、ジョン自身も兄リチャード獅子心王が第3回十字軍遠征でエルサレムに行っているあいだにその王位を奪おうとしている。それには失敗したものの、兄リチャードは1199年に死去したのでジョンが王位についた。

王になった彼には「失地王」というあだ名が付けられた。フランスとの戦争でフランス北部アンジュー地方の領地のかなりを失ったからだ。そのせいで彼はフランスの領地にいた貴族を怒らせ、彼らに見捨てられてしまった。そこでフランスに攻め込む費用を調達するため、相談もせずにイングランド貴族たちに新しい税を課した。

貴族たちは異議を唱えた。当初はあちこちで不満の声があがるだけだったものが、ついには武力行使をともなう組織的な反乱となった。反乱軍は司教座聖堂のあるリンカーン、エクセター、そしてロンドンまで支配下においた。もはやジョン王としても、王国を維持するためにはカンタベリー大司教の仲介による和解交渉にのぞむしかなかった。

マグナ・カルタは両者の和解協定として生まれたものだった。それは国

この手紙の写しは最近になってランベス宮殿図書館が所蔵する1冊の写本から発見された。ここに掲載したのは手紙の最後の部分である。これはマグナ・カルタ制定直後の王と貴族の力関係に新たな光を当てる資料だ。

王が封建制度のもとで濫用してきた権利に限界を定めるもの、言いかえれば国王が一定の権利を貴族に委譲するものだった。貴族ばかりか一般の自由市民にも貧富にかかわらず司法手続きを行う権利を認めることも明文化されていた。さらに、国王がここで委譲した特権を行使することのないよ

う監視し必要なら武力を使ってでも協定に従わせるために、25人の貴族からなる審議会が設立された。これはまったく新しい政治形態であり、対立する国々も、今やイングランドには25人の国王がいるわけだ、と冗談めかして見ているだけだった。

マグナ・カルタは今も、基本的人権を尊重する世界中の国々で重視されている。しかしこれが制定された1215年の時点では、署名したどちらの側も協定をあまり重視してはいなかった。反乱貴族たちはロンドンを明けわたすことを拒否しており、和解とはほど遠い状況だったのでジョン王も攻撃を再開していた。内戦が終結したのは、その翌年にジョン王が死去したからにすぎない。

しかし新しく発見された手紙は、少なくともマグナ・カルタに双方が署名した直後にあっては、貴族側が新しく手に入れた権利を行使しようとしていたことを示している。これは署名の日付のわずか4日後に、新しく設立された審議会に属する5人のメンバーがケント州の行政当局に宛てて書

25人の貴族からなる公正審議会に属する5人が、

審議会の代表として4人のメンバーを派遣し、ケント州長官の

就任宣誓および12人の貴族を審問官とするための任命とその者たちの

就任宣誓に、その4人の代表が立ちあうことを伝える手紙

われわれを代表してこの書状を持参する者たち、すなわちウィリアム・オブ・アインズフォード、ウィリアム・デ・ロス、トマス・デ・カンヴィル、リチャード・オブ・グレイヴニーの前で、王から貴州の長官に送られた手紙およびそれ以前の手紙に従ってきたのと同様の宣誓を行うことを命ずる。それを行う日時と場所は前記4人の貴族が定めるところに従うこと。さらにこのたび国王が定めた憲章にもとづき、貴州長官およびその部下により強制されてきた森と森林管理人、ウサギ飼育場とその管理人、川の堤とその管理人にかかわる邪悪な法を行使したかどうかを審問するために貴州で選定される12人の貴族の就任宣誓にも、前記4人の貴族が立ちあうことを命じる。

いたものだ。そこには他の州と同様にケントでも「州長官およびその部下たちが森と森林管理人、ウサギ飼育場とその管理人、川の堤とその管理人にかかわる邪悪な法の行使に関する審問を行う」ために選任される12人の貴族の就任宣誓に、その手紙を持参した審議会の4人のメンバーを立ちあわせるように、と書いてあった。

　手紙の引用箇所はマグナ・カルタに記載されている項目のひとつで、その件に関する法律が変わったことをはっきりと伝えている。それまでは邪悪な法律に守られて州の役人や森林管理人、ウサギ飼育場の管理人、川の堤防の管理人が好き勝手なことをしても罪に問われなかったが、これからはそうはいかないと告げている。そしてケント州長官のみならずすべての王の執行官は、今後は王でなく貴族が構成する審議会に就任の宣誓をすることになったと伝えているのだ。

008

ジャンヌ・ダルクがヘンリー6世に、 自分には神が味方していると告げる

［1429年3月22日］

3人の聖人の姿を幻視しその声を聞いたジャンヌ・ダルクはフランスとイングランドとの百年戦争における北フランスでの戦闘で、イングランド優位の流れを変える。フランスの農夫の娘で読み書きのできなかった彼女は、オルレアンを攻囲していたイングランドのヘンリー6世とその叔父であるベッドフォード公に宛てた手紙を口述して送らせた。

百年戦争は1377年イングランド国王エドワード3世がフランスの王位継承権を主張したことに始まり、1453年までのあいだフランス中を断続的に戦闘に巻きこんでいた。

1400年代初頭にフランス王シャルル6世が脳神経障害を発症したことで事態は複雑になる。シャルル6世の弟オルレアン公ルイと従弟のブルゴーニュ公ジャンとの権力争いが起こり、フランスは内戦状態に陥ったのだ。ジャンがルイを暗殺させるとルイの支持者たちがジャンを暗殺した。その結果ジャンを支持していたブルゴーニュの貴族たちは、イングランド側につくことになる。このような状況の15世紀初頭にイングランド側が優勢だったのは当然だろう。

1422年にはヘンリー5世とシャルル6世がともに死去した。そして1425年、ジャンヌ・ダルクは父親の羊の世話をしているときに大天使ミカエル、聖カタリナ、聖マルガリタを幻視する。そして三聖人から、イングランド軍をフランスから追い出し、王位継承権を主張しているシャルル6世の息子シャルル7世を王位につけるようにと告げられた。彼女が住んでいたフランスの田舎の小さな村の人々はフランス国王に忠実だったので、イ

ジャンヌ・ダルクからヘンリー6世への手紙

イングランド王、フランス国の摂政を自称するベッドフォード公、そしてベッドフォード公の副官であるサフォーク伯ウィリアム・ポール、ジョン・タルボット、およびトマス・スケイルズよ、あなたたちは神の御心にしたがい、神がつかわした乙女に降伏しなさい。フランスで攻めおとして荒らした良き町すべての鍵を返しなさい。この乙女は王家の血筋をとり戻そうという神の御心によってここにつかわされました。あなたたちがフランスをあきらめ、奪ったものを返すなら、彼女は満足し、和平を結びましょう。弓をかまえる者、戦いにくわわる者、身分の高い者もそうでない者も、オルレアンの町の前にいる者たちは、神の名にかけて、自分の国へ帰りなさい。もしそうしなければ、乙女がすぐにあなたたちのもとへ行き、あなたたちに大きな危害を与えることを覚悟しなさい。イングランドの王よ、すぐにここを去らなければ、私は軍をひきいてフランスのどこまでも進み、あなたの臣下を目にすれば有無を言わせずその者を去らせるでしょう。私に従わない者は死ぬことになります。私は天におられる神によって、まさにその方の御心によって、あなたたちをフランスから追い出すために、ここにつかわされました。彼らが従えば、情けをかけましょう。議論の余地はありません。あなたたちは天の王、聖母マリアの息子である神からフランスを与えられてはいない。乙女が明らかにしたとおり、フランスの真の王位継承者であるシャルルが、正当な王位につくために良き仲間たちとともにパリに入るでしょう。この神と乙女の言葉を信じないなら、あなたたちが正しいことをしないなら、あなたたちがどこにいようと私たちはそこに現れて、フランスでいまだかつて一度もなかったような大災厄をもたらすでしょう。神は乙女とその良き兵士たちに、あなたたちの攻撃を圧倒するだけの大いなる力を与えるでしょう。そのときあなたたちは神が誰の味方かを知るでしょう。ベッドフォード公よ、乙女はあなたが自分の身を亡ぼすようなことをしないよう切に望みます。彼女の正しさを認めるなら、あなたはまだ彼女の側に、キリスト教徒としてもっとも正しいことをしようとしているフランス人の側につくことができます。オルレアンの町で和平を結ぶことを望むなら返事をよこしてください。そうしなければ、すぐにも自分の愚かさを思い知ることになるでしょう。

ングランド王によるフランス王位継承を支持する側の襲撃を受けて火をつけられたこともあった。

1429年、シャルル7世がオルレアンをイングランド軍の包囲から解放するために軍を進めていたところへジャンヌ・ダルクがやってくる。彼女の言葉を信じたのか、それとも何をしてもうまくいかなくて自暴自棄になっ

ていたのかはさだかでないが、とにかくシャルル7世は彼女を軍に同行さ
せた。そしてオルレアンに近づいたとき、ジャンヌはイングランド軍を率
いていたヘンリー6世とその従弟ベッドフォード公らに宛てた手紙を口述
した。

　ジャンヌは自分の名前を書くことはできたが、それ以外の読み書きはで

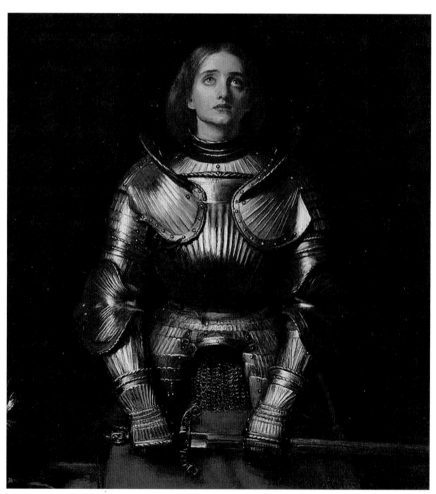

ジョン・エヴァレット・ミレー作「オルレアンの乙女」。1865年。ミレーはイギリスのラファエル前派創
設メンバーのひとりである。

きなかった。しかし、羊を飼う農家の娘からイングランドの支配階級に宛てた手紙の内容は自信に満ちていた。「天の王である神がつかわした乙女に降伏しなさい。フランスで攻めおとして荒らした良き町すべての鍵を返しなさい」

　そして続けて「イングランドの王よ、すぐにここを去らなければ、私は軍をひきいてフランスのどこまでも進み、あなたの臣下を目にすれば有無を言わせずその者を去らせるでしょう。私に従わない者は死ぬことになります」と述べている。

　ジャンヌが現れたことでフランス軍の士気は高まり、イングランド軍への攻撃が開始された。そしてオルレアン到着のわずか1か月後にはイングランド軍を撤退させたのである。天の王である神とイングランドの王を対比させることで、彼女は百年戦争を聖戦に変貌させたのだ。「私は天におられる神によって、まさにその方の御心によって、あなたたちをフランスから追い出すために、ここにつかわされました」

　勢いづいたフランス軍は次々に勝利をおさめていった。ジャンヌは常に、剣でなく旗をかかげ持って先頭に立ち、何度か負傷もした。それでもイングランド側に手紙を送ったわずか4か月後にはランスでシャルル7世の戴冠式が行われた。彼女は聖なる使命を果たしたのだ。

　1403年、ジャンヌはブルゴーニュ軍に捕えられ、親イングランド派のボーヴェ司教ピエール・コーションによる異端審問にかけられた。コーションはジャンヌに異端の判決をくだし、1431年、彼女はわずか19歳そこそこの若さで火刑に処せられた。しかし、もはやイングランド側の劣勢をくつがえすことはできなかった。フランスはフランス人の王をもつことになり、その後ジャンヌは彼女のもとに現れた三聖人と並ぶ聖女ジャンヌとなったのである。

009

レオナルド・ダ・ヴィンチが
ミラノ公に自分の能力を列挙した
手紙を書く

［1480年頃］

レオナルド・ダ・ヴィンチが後援を期待してミラノ公に宛てた手紙は、ありふれた経歴書とは大違いだった。その内容は、この偉大な芸術家の驚くほどの創意と機械に関する識見を示すもので、絵画の才能についてはほとんど触れていない。

1482年、レオナルド・ダ・ヴィンチはフィレンツェでメディチ家の庇護を受けていた。当時のサンマルコ広場庭園は、多くの芸術家や知識人が集まって切磋琢磨する場所だった。彼はフィレンツェの城壁のすぐ外にあるサン・ドナート・ア・スコペート教会から依頼された絵画「東方三博士の礼拝」の制作にかかっていたとき、メディチ家と同様に当時の有力者だったミラノ公ルドヴィコ・スフォルツァのもとへ招かれることになり、フィレンツェから300キロ北にあるミラノに移った。

　これはフィレンツェとミラノが和解するための一種の贈り物だった。レオナルドは自分で作った豪華な竪琴——馬の頭をかたどったもの——を持参していた。それはひとつの公国からもうひとつの公国への礼を尽くした手土産だったが、メディチ家側は楽器だけでなく音楽そのものを生みだす人物までミラノ公に贈ったことになる。というのもレオナルドは数ある才能に加えて音楽家としても高く評価されていたからだ。

　自分がどれほど貴重な贈り物か相手に知らせるために、レオナルドは贈り物の添え状として自分の能力の一部を列挙した手紙を書いた。それは具体的にいくつか項目をあげて簡単な説明を書き添えた経歴書だった。たとえば彼は次のようなことを書いている。

・私は、安全で攻撃を恐れる必要のない大砲つきの装甲戦車を作ることができます。敵陣に攻め入っても乗っている人間は安全です。
・必要なら大型の大砲、砲身の短い迫撃砲、小型の銃を作ることができます。

　レオナルドはここで、もっぱら彼の武器に関する発明や改良を紹介している。おそらくメディチ家側は、軍事的な情報を提供することでミラノ公との和平プロセスにおける誠意を見せようとしていたのだろう。レオナル

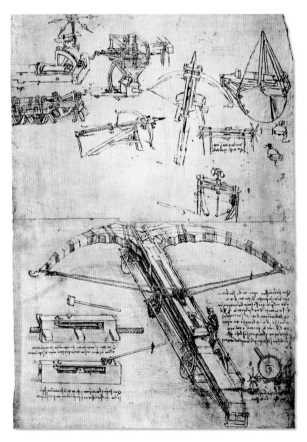

ダ・ヴィンチが描いた巨大なクロスボウ(石弓)の図。発射装置の近くに立つ人物も描かれている。ダ・ヴィンチのこの手稿は1478–1519年に彫刻家ポンペオ・レオーニが編纂して12巻にまとめたアトランティコ手稿に含まれている。

ドは、手紙の最後にやっと、芸術家としての能力を提供することについて
以下のように記している。

・軍事技術が必要ないときには、建築技術や公的私的な建物の設計に

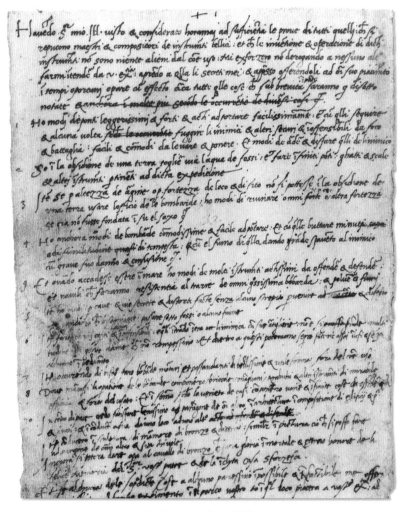

ダ・ヴィンチの書いた手紙。

レオナルド・ダ・ヴィンチがミラノ公に宛てた手紙

御高名な閣下に申し上げます。

これまで私は戦争用機械の名人名工を自認する人々が考案し制作したものをつぶさに見て、その機能について考察してきましたが、それらは私から見ればまったくありきたりの物にすぎないように思われました。そこで、ほかの方々の名誉を傷つけるつもりはありませんが、私の能力を閣下にお伝えしてご存分に使っていただくことを願い、必要なときには私の考案したものを実際に御活用いただければと考え、その一部を以下に記させていただきます。

1. 敵を追跡する、あるいは敵から逃げるなどの目的に使うための、火や武器による攻撃にも耐えられる強度を備え、持ちあげて運んだり必要な位置に設置したりするのが容易な、軽量かつ頑丈な橋の製造法をいくつかご提案できます。

2. ある土地を攻囲するとき、周囲の堀から水を除く方法や、多くの橋、移動式防護壁、攻城梯子（ばしご）などを作ることができます。

3. 同じく攻囲戦において、敵要塞前面の斜堤が高すぎるため、あるいはその位置や形状などのせいで砲撃できないときに、とくに岩などの上に設置する必要もなく、どんな要塞でも破壊できる装置をいくつかご提案できます……。

　　ついても、また水をひとつの場所から他の場所まで通す水利技術についても、軍事技術の考案と同様に、必ずご満足いただける能力を提供できます。

　・私は大理石、ブロンズ、粘土などの彫刻ができますし、絵画についても他の分野と同様にどんな題材であろうと立派に描くことができます。

　ミラノ公国がダ・ヴィンチの工学技術の才能によって利益を得たかどうかはともかく、芸術家としての彼はそこに大きな業績を残している。15世紀末までミラノ公国に滞在していた彼に、ルドヴィコ・スフォルツァがサンタ・マリア・デッレ・グラツィエ教会のために制作を依頼したのが、あの有名な壁画「最後の晩餐」だったのだから。

010

ヘンリー7世が
イングランドの貴族に
助力を求める

［1485年］

15世紀後半のイングランドは飽くなき抗争と陰謀が連続する、まさに血まみれの時代だった。プランタジネット朝の傍流であるランカスター家とヨーク家が王権を争って激しく戦っていたのだ。うんざりした貴族たちはどちらでもいいから早く王が決まってほしいと思っていた。

　　イングランドの王位をめぐるヨーク家とランカスター家との争いが「薔薇」戦争と呼ばれるのは、ヨーク家の紋章が白バラ、ランカスター家の紋章が赤バラだったことによる。争いの過程で、ヨーク家出身のエドワード4世は、精神障害を発症したランカスター朝のヘンリー6世を殺害して王位につく。

　そのエドワード4世が平穏な死をとげたのは、この混乱した時代にしては驚くべきことではある。彼の父親と兄弟のひとりはウェイクフィールドの戦いで戦死し、もうひとりの兄弟は反逆罪で処刑された。エドワード4世自身の死後には、その弟であるリチャードが彼のふたりの息子をロンドン塔に幽閉し、その後に殺害している。こうして最後に生き残ったリチャードが1483年に王位につき、リチャード3世となった。

　ランカスター家の王ヘンリー6世は統治者としての能力に欠けていたので、フランスにあった領土は港町カレー以外すべて失っていた。王権が弱まった隙をついて、イングランドの有力貴族はフランスの戦場から帰ってきた兵士を私兵として雇い、勢力争いを始める。イングランド全土が内戦状態におちいる中、有力な貴族であるウォリック伯のネヴィル家はヨーク

ヘンリー7世がランカスター家に味方する貴族たちに書いた手紙

信頼すべき名誉ある諸君に御挨拶を申し上げる。この私が、血統から見てまったく正当である王位継承権を主張し、殺人者で、人の道に外れた暴君でありながら不当にも支配者を名のっているあの者を排除することを貴君らが願っていると知り、亡命を余儀なくされている友である私の心が、いかなるキリスト教徒の心よりも喜びで満たされたことをお伝えしたい。私は、貴君らがどの程度の戦力を動かせるか、どんな司令官が指揮をとるかが明らかになり次第、私の支持者たちがここフランスで準備する兵力を率いて海を越えてイングランドに入るつもりである。もしこの作戦を私の望みどおり迅速に成功させることができたなら、私は貴君らの望みに応じ、この正義の戦いにおける貴君らの有難い助力を忘れることなく、必ずそれに報いる。(署名印)H
この手紙を持参した者をどうか信頼してほしい。

家側につき、リチャード3世の治下で影響力を強めた。リチャードの戴冠に反対した貴族たちは領地の守りを固めた。

　ヨーク家側の勝利は定まったものの、リチャード3世が即位した直後にはすでに、対立勢力の反攻が始まっていた。リチャード3世を倒そうとする貴族たちが目をつけたのが、非嫡出ではあるが母方の傍系からランカスター家に細いつながりをもつヘンリー・テューダーである。当時ヘンリーは、フランスとイングランドの外交上の取引材料のひとつとしてフランス北西部のブルターニュに送りこまれ、不遇な状況にあった。

　しかし彼は、今こそイングランドにもどる絶好のチャンスだと気づく。ヘンリーはリチャード3世によって呼びもどされ処刑されるのを避けるためにパリに逃れ、潜在的な支持者がどれくらいいるか確認するため、信頼できる家来たちに手紙を持たせて旅立たせた。こっそりイングランドに帰るためには極秘のうちに計画を進める必要があったので、ほとんどの手紙は読んだあと処分されたが、1通は現存している。

　彼は手紙を送る相手が自分を支持し「この私が、血統から見てまったく正当である王位継承権を主張し、殺人者で人の道に外れた暴君でありなが

[左]ヘンリー7世。1505年の作品。ボズワースの戦いのちょうど20年後に描かれたもの。これはロンドンのナショナル・ギャラリーが所蔵するもっとも古い絵画である。[右]シェイクスピアの戯曲でリチャード3世が「せむし」と描写されているのは有名な話だが、レスターにある駐車場の地下から掘り出されたリチャードの骨を調べた結果、彼はたしかに背骨が湾曲する脊柱側湾症だったことがわかった。ここに掲載したポートレートはリチャード3世の死後100年近くあとの16世紀後半の作なので、それ以前に描かれたものの模写と思われる。

ら不当にも貴君らの支配者を名のっているあの者を排除するよう私に協力してくれる意志がある」ことを知って嬉しく思うと書いた。

　しかしながら彼が本当に知りたいことは「私の支持者たちがここフランスで準備する兵力を率いて海を越えてイングランドに入るとしたら、具体的にどの程度の戦力を動かせるか、どんな司令官が指揮をとるか」だとも書いている。ヘンリーはイングランド進攻のための軍を集めていたのだ。そして反乱の成功に協力することの利点をほのめかす。「もしこの作戦を私の望みどおり迅速に成功させることができたなら、私は貴君らの望みに応じ、この正義の戦いにおける貴君らの有難い助力を忘れることなく、必ずそれに報いる」

　ヘンリーに寄せられた返信はどれも協力を約束するもので、彼らは1485

年8月にウェールズのペンブルックシャに上陸した。そこからウェールズを進軍するうちに、さらに多くの貴族たちがヘンリーの軍に加わった。3週間後のボズワースの戦いでは、リチャード3世を支持してきた多くの貴族がヘンリー側に寝返ったため、この戦いはヘンリーの圧勝で終わる。リチャードは戦いのさなかで命を落とし、2012年には、20世紀に作られたレスターの駐車場の地下でその墓が見つかった。

　ヘンリーは戴冠してヘンリー7世となり、テューダー朝を開いた。テューダー朝は息子ヘンリー8世(6人の妻を娶った)から孫のエリザベス1世まで五代続くことになる。フランスから手紙を送った甲斐はあったと言えるだろう。

011

コロンブスがスペイン国王に
新大陸発見を報告する

［1493年3月15日］

新世界に向かった初の航海(1492年–93年)の帰路、クリストファー・コロンブスは自分の発見を報告する手紙を書いた。その内容は全ヨーロッパを興奮の渦に巻きこむことになる。一人称で書かれたこのコロンブスの歴史的な旅の報告に類するものは、19世紀になるまでほかにはなかった。

コロンブスはアジアをめざしていた。オスマン帝国がコンスタンティノープルを占領して以来、昔から使われてきた東洋へのルート——シルクロードを使う陸路——は危険になってしまった。コロンブスはなんとも楽観的な計算をもとに日本はカナリア諸島の3700キロほど西にあると思いこみ、十分な水と食料を用意すれば15世紀の帆船で到達できると考えた。

1492年、コロンブスは現代のスペインにあたるカスティーリャ王国の王フェルディナンドをなんとか説得し、航海のための資金を得た。キリスト教徒のフェルディナンドは、そのわずか1年前に250年以上イベリア半島を支配してきたイスラム教徒のナスル朝を倒したばかりだった。そこでフェルディナンドはいち早くアジアに到達できる航海ルートを開き、成立したばかりの統一スペインに他のヨーロッパ諸国より有利な交易手段をもたらそうと考えたのだ。

サンタマリア号、ピンタ号、ニーニャ号の3隻から成るコロンブスの船団は5週間かけて大西洋を横断し、最初に到着した陸地をサンサルバドルと名づけた。今では、そこはバハマ諸島の東よりにある無人島プラナキー

ズだったろうと推測されている。そして彼らはバハマ諸島の島々に順に上陸しながらキューバ本島の北岸（彼はフアナ島と名づけた）に達し、さらに東へ進んでイスパニョーラ島（今はハイチとドミニカ共和国になっている）に上陸した。

　手紙の中でコロンブスはキューバ（フアナ）について「非常に肥沃な島です。いたる所にこれまでに見たどこよりも安全で広い良港があります。そしてそこには水のきれいな川がいくつも流れています」と書いた。そしてイスパニョーラ島は天国のようだと書き「美しい山々、農耕に適した広大な土地、木立や草原があり、農業や牧畜に最適で、建物を作るにも適した土地です。この島の港の便利さと川の理想的な水量と水質は、実際に目にしなければ信じられないほどです。この島の木立や草原や木の実はフアナ

とはずいぶん違います」と記している。

　彼はさらに続けて「その上、イスパニョーラにはさまざまな植物、金などの鉱物が豊富にあります」と書く。ヨーロッパ文明が新大陸に対して何ができるかではなく、新大陸がスペインに何をもたらすかということが彼らの最大の関心事だったのだ。彼は熱心に語っている。原住民は「弓矢以

コロンブスから国王フェルディナンドと女王イサベルへの手紙

私がこの航海で成しとげたこと、発見したことを両陛下にすべてお知らせするためにこの手紙を書くことにします。

カディスの港を出港した33日後、私はインドの海に達しました。そこには多くの人間が住むたくさんの島がありました。私はそのすべてで、その地をわれらが国王陛下の所有物とすると宣言し、陛下の旗を揚げました。さからう者はありませんでした。フアナと名づけた島もその他の島々も非常に肥沃です。いたる所にこれまでに見たどこよりも安全で広い良港があります。そしてそこには水のきれいな川がいくつも流れています。非常に高い山もたくさんあります。どの島も美しく、それぞれ違う形をしています。容易に踏破でき、じつにさまざまな種類の、天まで届きそうな大木がたくさん生えています……

前にも書いたイスパニョーラと名づけた島には高くて美しい山々、農耕に適した広大な土地、木立や草原があり、農業や牧畜に最適で、建物を作るにも適した土地です。この島の港の便利さと川の理想的な水量と水質は、実際に目にしなければ信じられないほどです。この島の木立や草原や木の実はフアナとはずいぶん違います。その上イスパニョーラにはさまざまな植物、金などの鉱物が豊富にあります。前にも書いたように住人たちは鉄というものを知らず、鉄の武器を持っていません。武器を使うこともできません。それは体に欠陥があるということではなく、むしろ立派な体格をしていますが、性質が臆病で私たちを恐れていたからです……私たちに害意がないことがわかると恐れなくなり、善良で正直な本性を見せて、自分の物をなんでも気前よくくれるようになりました。何かを欲しいと言えば誰も断りません。むしろこれは欲しくないかと向こうから尋ねてくるのです。私たちにとても好意的で、ちょっとしたつまらない物をやれば彼らの貴重な物と交換してくれるのです……私は彼らの好意を得るために、持参した美しい品物を贈り物として与えました。彼らはキリスト教徒になり、われらが国王陛下、女王陛下をはじめ王族の方々やスペインの国民すべてを愛するようになり、彼らが豊富にもち、私たちが欲しくてたまらないものを喜んで差しだすことになるでしょう……

外の武器を知らず、征服するのは簡単でしょう……彼らはキリスト教徒に
なり、われらが国王陛下、女王陛下をはじめ王族の方々やスペインの国民
すべてを愛するようになることでしょう」と。コロンブスは土産としてス
ペインに連れかえるために何人かの原住民を捕えたが、航海に耐えて生き
残ったのは8人だけだった。

　フェルディナンド国王は西インド諸島に領土としての魅力を見出し、さ
らに3回、コロンブスを南アメリカ方面への航海に送りだした。コロンブ
スが書いた手紙はラテン語に翻訳されてヨーロッパ各国で読まれ、新大陸
アメリカの植民地化を推進しただけでなく、その後の奴隷貿易発展のきっ
かけともなった。コロンブスが到達したのがアジアではなかったことは次
第に明らかになりつつあったが、彼は生涯、自分はアジアへの航路を開い
たと主張しつづけていた。1502年になってイタリアの探検家アメリゴ・
ヴェスプッチがその主張の誤りを証明し、彼の名前をとって新大陸はアメ
リカと名づけられた。

012

マルティン・ルターが友人に「大胆に罪を犯しなさい」と告げる

[1521年8月]

1507年にローマカトリック教会の司祭に叙階されたマルティン・ルターは、教皇レオ10世に破門され、神聖ローマ帝国皇帝カール5世からは異端として帝国からの追放を宣告された。そのわずか2か月後に改革派の仲間フィリップ・メランヒトンに書いた手紙を見れば、ルターが少しも後悔していなかったことがわかる。

ルターは教会に金銭を寄付することで罪から救済されるという、いわゆる免罪符(正確には贖宥状)を発行している教会の権威に反抗し、教会の最高指導者である教皇を真っ向から批判した。救済は神を信じることによってのみ行われるもの、神を信じる者への神からの贈り物であり、聖職者が金銭と引きかえに与えるものではない、と彼は信じていた。

ヴォルムスの町で開かれた帝国議会においてルターが自説の撤回を拒否したため、神聖ローマ帝国皇帝カール5世は「今後、何人たりともマルティン・ルターを容認、擁護、支持、あるいは好意的に扱うような行為、発言をすることを禁ずる……。彼の逮捕に協力した者には十分な褒賞を与える」との勅令を発した。

ルターはザクセン選帝侯フリードリッヒの好意で逮捕を逃れ、ヴァルトブルク城に匿われた。ルターはヴァルトブルク滞在中に、彼の仕事のうちでももっとも画期的な仕事といえる新約聖書のドイツ語訳に取りくんだ。ラテン語からドイツ語に翻訳することで、ドイツの一般庶民も自分で聖書が読めるようになったのだ。またその合間に友人の神学者メランヒトンに手紙を書いてもいる。メランヒトンは宗教改革のその後の進展に重要な役

割を果たす人物のひとりだった。

　メランヒトンとルターはヴィッテンベルク大学での同僚だった。ルターはやはり大学の同僚で、聖職者でありながら当時のカトリックの定めに逆らって結婚したケンベルク司教を擁護する手紙を書いている。彼は新約聖書にある聖パウロの言葉を「神の声」と同一視して、パウロの「テモテへの手紙」を引用している。そして禁欲の定めは悪霊が作ったものだから従う必要はない。それは神から発せられたものではない。「みだらな欲望の炎に身をこがす」より、あるいは結婚せずに不道徳な行いをするより、結婚するほうがいい、と論じた。そして2年後にはルター自身も修道女と結婚した。

　聖体拝領に関する問題では、ルターはアンドレアス・カールシュタットの見解を支持している。当時はどちらか一方を避けなければならない理由

マルティン・ルターからフィリップ・メランヒトンへの手紙

もちろんあなたは罪を告白されたらそれを聞き、赦免することしかできません。でもあなたに告白されなかった罪は知る必要もなく、赦免する必要もないのです。それは人間の力の及ばないことです。

司祭や修道士の誓いについても同じだと私に認めさせることはできませんよ。というのも私は聖職者の行いには神から自由を与えられていると思うからです。自分の意志で修道生活に入った人は別です。ただし大人になる前に修道生活に入った、あるいは今その年齢にある人たちが自分の良心にしたがって修道院から脱退することは認めてよいとさえ私は考え始めているのですが。しかし長く修道院で暮らし、その中で大人になった人たちがどう判断するかについては、私にも断言はできません。

ところで聖パウロは、聖職者の結婚を禁じたのは悪霊の仕業だと語っています。パウロの言葉は神の言葉です。だから聖職者の誓いをたてたときにこの禁止を受けいれたとしても、何者によって定められたのかを知った今、その誓いを破ることに何も問題はないのです。

結婚の禁止が悪霊の仕業だと聖書に明確に示されている以上、私はケンベルク司教の行為を断固として容認します。神が結婚禁止は悪霊の仕業だと言われるとき、そこに嘘や偽りはないからです。悪霊との契約ならば、それは誤りであり神によって断罪され拒否されるものなので、すぐにも取り消されるべきだからです。神は結婚の禁止を定めた者は誤っていたと明確に語っておられるのです。

地獄の門への道に向かってはならないという神の御心に反してまで、あなたはなぜこの裁定に加わることをためらうのですか。これはイスラエルの子らがギベオン人とかわした誓いとは事情が違います。あれはユダヤ教徒を自分たちの場所に受けいれ、互いに平和に暮らすために定めた法でした。これはすべて起こったことです。神に反すること、聖霊の助言によらないことは何も起こりませんでした。初めは文句を言う者がいても、結局は皆が認めたことでしたから。

さらに言えば、独身でいることは人間が定めた規則なのだから、簡単に変えることができると考えてもいい。キリスト教徒の誰もがそれをすることができます。たとえ結婚の禁止が悪霊によるものでなく、信心深い人間によるものであったとしても、私の意見は変わりません……

があっても、パンとワインの両方を定められたとおり口にしないことは罪だと見なされていた。それに対しルターは「聖書のどこにもそれを罪と見なすとは書いていない」と指摘する。そして「たまたまワインがこぼれてしまったらどうする？」と書いている。その年のあとになってから、カールシュタットはラテン語でなくドイツ語を使い、聖体拝領のパンとワインを司祭の手からではなく自分の手で口に入れるという方法による、初めての聖体拝領を執り行った。これもまた、聖職者の権威を誇示する旧来の司式に対するひとつの抵抗だった。

　このような解放の教学とも言うべき動きは、カトリック教会の腐敗した権力によって抑圧されてきた人々のあいだに急速に広まった。またルターがキリスト教に与えた影響は、それだけにとどまらない。今日にいたるまで、スペイン、フランス、イタリアなどの国々と比べると北ヨーロッパはプロテスタントの強固な拠点となっているのだ。

　彼は手紙の末尾で、聖書の解釈に関する聖職者たちのもうひとつの誤りを攻撃している。彼は作り物の信仰でなく本物の信仰が真の許しをもたらすように、本物の罪と、聖書に反して不誠実に作りだされた罪とのあいだにも違いがあると述べた上で「あなたは作り物の罪でなく、本物の罪を犯さなければなりません。……罪びとでありなさい、そして大胆に罪を犯しなさい。しかしそれ以上に大胆にキリストを信じなさい」と書いた。これはつまり、あなたが罪を犯すことがあるなら正しい罪を犯し、キリストがあなたの罪を許すために自分の身を犠牲にされたことを信じなさい、ということだ。「私たちが繰りかえし繰りかえしどんな罪を犯そうと、たとえ殺人を犯すことになろうと姦淫をすることになろうと、キリストが私たちを見捨てることはないと信じるのです」

013

ヘンリー8世が
アン・ブーリンにラブレターを書く

[1528年]

アン・ブーリンの父親はイングランドのヘンリー8世の宮廷で外交官をしていた。ヘンリー7世の王位を継いだ息子ヘンリー8世は彼女に夢中になった。17世紀に王が彼女に宛てて書いた熱烈なラブレターを読めばそれは明らかだ。そしてこれは、イギリスの歴史を変えた恋愛だった。

ヘンリー8世はいろいろな理由から6回の結婚をした。16世紀における結婚は有力な家と家との政治的取り引きの手段であり、当事者の気持ちは考慮されていなかった。ヘンリー8世の最初の結婚は、もともとヘンリー7世の王太子だった長男アーサーのために用意されたものだった。相手のキャサリン・オブ・アラゴンはスペインの両王、フェルディナンド国王とイサベル女王の娘だった。しかしアーサーはキャサリンと結婚したわずか6か月後に、15歳で死去したのだ。

それでもスペインとイングランドにとってこの婚姻関係を失うことはあまりにも大きな損失だったので、アーサーの弟ヘンリーが王太子となり1509年に戴冠式をすませた直後に、キャサリンはヘンリーと結婚した。ふたりのあいだには王女メアリーが生まれたが、ヘンリーは将来ヘンリー9世となるべき男子の誕生を切望していた。

そして1526年、アン・ブーリンが登場する。25歳のヘンリー8世はまだ若く、キャサリンとのあいだに男子に恵まれないことに絶望的になっていた。彼は10歳年下のアンに夢中になり、なんとかして彼女を手に入れようと躍起になる。そして何通もラブレターを書くことで、初めは乗り気でな

ヘンリー8世がアン・ブーリンに宛てたラブレターのコレクションはバチカン図書館で発見された。それらの手紙は、ヘンリー8世が最初の王妃キャサリン・オブ・アラゴンとの結婚の無効を求めてローマカトリック教会に訴えていたときにアンの手元から盗まれ、教皇庁に送られたものと信じられている。

かった彼女の心をつかむことに成功した。1528年1月に書いた手紙を読めば、アンとの距離がどこまで縮まっていたか、彼がアンにどれほど夢中だったかがわかる。

アンは王に小さな女の人形が乗っている船の模型を贈っていた。それには暗に、ヘンリーは彼女を人生の嵐から守る避難所だという意味がこめられている。イングランド国王のヘンリーは、自分はそのような贈り物に値しない人間だと書いている。「あなたの慈愛と好意による力添えなしでは、私がそれに値する人間になることはできないでしょう」と彼はフランス語で書いた。アンが自分に何か至らない所があればお許しくださいと書いたのに対し、彼もまた「これまでにもし私があなたの気を悪くさせるようなことをしていたなら、私のほうこそお許しを願いたいものです」と書く。

ヘンリー8世からアン・ブーリンへの手紙

この世でいちばん美しいあなたに、ダイアモンドと船——はかなげな乙女が乗って揺られているように見える船——という素晴らしい贈り物にだけでなく、むしろそれ以上に、贈り物に添えて私に示してくださった美しいお言葉とその慎ましい内容に心から感謝します。というのも私がそのお言葉にふさわしいほどの者であることをお示しするのは、あなたの優しさとご好意——私が求めてやまないものです——なしでは容易ではないと思うからです。私は私の誠意の限りをつくし、決して変わることのない私の望み、つまり「誰でもないあなたと共にありたい」という望みをかなえる覚悟です。

あなたが手紙に真心のこもった美しい言葉で示してくださった親愛の情を知ったからには、私はあなたを永遠に敬い、愛し、お仕えすることを約束します。私はあなたに喜んでいただきたいという気持ちさえあれば希望はかなうと信じて、絶対にあきらめることなく目的を果たす覚悟です。どうか、あなたも強い決意を持ちつづけてください。

これまでにもし私があなたの気を悪くさせるようなことをしていたなら、私のほうこそお許しを願いたいものです。これからは、私の心はあなただけに捧げると約束します。私の体もそうでありたいものです。目的が達成できることを、いつかは希望がかなうことを、私は神に毎日祈っています。神の御心にかなうことなら、きっとかなえてくださるでしょう。あなたと会える日が早く来てほしい。どんなに早くても、私には遅すぎると感じられるでしょうが。

　そして「これからは、私の心をあなただけのために捧げます」とキャサリン・オブ・アラゴンの夫は約束する。「私の体もそうでありたいものです」。そしてヘンリーは「あなたの心の中にしか私の居場所はないのです」と変わらぬ愛を宣言するのだ。そしてアンの言葉を受けて「私はあなたを永遠に敬い、愛し、お仕えすることを約束します」と書いた。彼は事実上結婚の誓いを述べているようなもので、結婚こそが彼の変わらぬ願いだったのだ。
　しかしアンと結婚するには大きな問題があった。ヘンリーはすでに結婚しており、カトリック教会は離婚を認めていないのだ。ヘンリーとアンによる教皇クレメンス7世への嘆願も効果はなかった。業を煮やしたヘン

リーは1533年に新しくカンタベリー大司教を任命し、キャサリンとの結婚の無効を宣言させた——ヘンリーとアンはすでに4か月前、内内に結婚していた。報復として、教皇はヘンリーとカンタベリー大司教トマス・クランマーを破門した。ヘンリーはローマカトリックときっぱり縁を切り、英国教会を設立して自分をその最高位とした。そして資金力をもち影響力の強いカトリックの修道院——イングランドの日常生活はそれを中心に営まれていた——を解散させ、イングランドの宗教、経済、社会生活のすべてを根底から変えてしまう。すべては恋のためだった。

　前王妃キャサリンと同様、アンも娘をひとり——やがてエリザベス1世となる——産んだが、息子を産むことはなかった。そしてヘンリーは、またしてもほかの女性に目移りしていた。今度はジェーン・シーモアである。アンは反逆、不貞、近親相姦などの罪をでっちあげられて斬首される。あれほど熱烈な始まりを見せた恋の結末は、無残なものだった。ヘンリーはアン・ブーリンに結婚を誓った手紙に、まるで若者が恋人と自分のイニシャルを組みあわせて木の幹に掘りつけるような署名を残している。「HはABのほかの誰も求めない」とフランス語で記した署名の「AB」はハート型の線で囲まれていた。

014

デ・ラス・カサスが
新大陸におけるスペインの
残虐行為を告発する

［1542年］

スペインは新大陸にさまざまなものを持ちこんだ。その中にはスペインで異端審問の
ために考案されたサディスティックな残虐行為も含まれていた。しかし1542年にひとり
の男が新大陸の先住民に対するスペイン人の野蛮な行為をあばく手紙を書いたこと
をきっかけに、先住民保護のための「インディアス新法」が成立することになる。

バルトロメ・デ・ラス・カサスは植民者として新大陸にわたったの
ち、聖職者になった人物である。彼は1502年、18歳のときに父親
とともにイスパニョーラ島(現在のハイチ)にわたり、農園を開いて先住民を
働かせた。1510年、いったんスペインにもどってカトリック教会の司祭
となっていた彼はふたたび新大陸に向かい、結果的にスペイン軍の従軍司
祭としてキューバの植民地化における残虐行為に心ならずも加わることに
なる。彼は先住民のキリスト教化に努める一方で、彼らにとってより良い
植民地を創出し、彼らの生活環境を改善することにも努めた。先住民の奴
隷化には反対し(ただし、代わりにアフリカ人の奴隷を使うことを提案していたのだ
が)、早くから新大陸先住民 [当時は中南米がインドだと思われていたのでインディアンと呼
ばれていた]の権利擁護を訴えていた。

　スペイン人入植者がすべて人道的にふるまうわけではなかったので、ス
ペイン国王カルロス1世(神聖ローマ皇帝カール5世)が1542年にスペインの植民
地政策に関する会議を開いた際、バルトロメは国王に手紙を書いた。彼は
その手紙で、イスパニョーラ島およびキューバで自分が目撃したスペイン
人入植者による先住民への残虐行為を報告している。

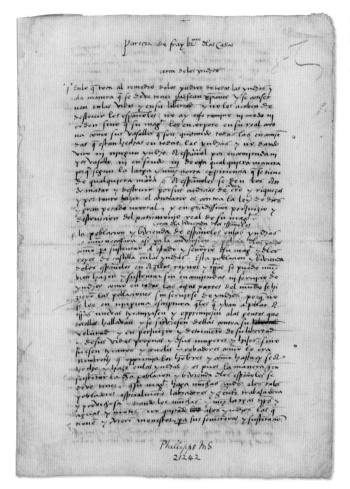

　会議の席上で読みあげられた彼の手紙は、出席者たちに残虐行為に対する嫌悪感をいだかせるに十分だった。彼はスペイン人入植者たちが遊び半分に犯した残虐な——絞首台につるした先住民の族長をじわじわと焼き殺したり、生きたまま体の一部を切断して殺害したり、剣や槍をふるって大勢を殺戮したりする——行為を、細部にいたるまで生々しく物語っていた。

　「キリスト教徒である彼らが、馬を駆り剣と槍をふりまわして……笑ったり軽口を言ったりしながら、誰が人を真っぷたつに切り殺せるか、誰が

バルトロメ・デ・ラス・カサスからスペイン国王カルロス1世への手紙

……神はこの多くの人々すべてを非常に純真でいかなる害意も裏表もなく、従順で自然をうやまい、彼らを使役するキリスト教徒にも忠実な人々としてお造りになりました。つつましく、忍耐強く、穏やかな人々、争いや騒動を起こすこともなく、この世界に暮らすべての人々と同じように口論したり声を荒らげたりすることもなく、憎しみや復讐心とも無縁の人々としてお造りになったのです……

ここに記したような美質をそなえたおとなしい羊の群れの中に、スペイン人はまるで何日も食べ物にありついていない狼か虎かライオンのように飛びこんだのです。それ以来40年にわたり、彼らは見たことも聞いたこともないような、ありとあらゆる新奇で異様な残虐行為を思いついては、ひたすら人々を苦しめ、拷問し、殺戮してきました……

キリスト教徒である彼らが馬を駆り剣と槍をふりまわして、この地の人々を虐殺し、拷問し始めたのです。彼らの集落に突撃し、子どもであろうと年寄りであろうと、妊婦であろうと肉体労働させられていた子どもであろうと、誰彼かまわず槍を突きたて体に切りつけ、無残に切り刻んだのです。まるで囲いに追いこまれたたくさんの子羊の群れの中に飛びこんだ猛獣のように。

彼らは誰が人を真っぷたつに切り殺せる、誰が一撃で人の首を切り落とせるか賭けをしていました。人の腹を切り開くこともありました。母親の胸にしがみついている赤ん坊の足をもって引きはがし、赤ん坊の頭を岩に投げつけることもしました。肩をつかんで笑いながら川に投げ、水に落ちたのを見て「こいつを煮てしまえ」と叫ぶこともありました。目につく限りの赤ん坊を抱く母親たちを、赤ん坊と一緒に剣で刺し貫くこともしました。

犠牲者の足先がちょうど地面に届くか届かないかの高さで絞首台を作り、なんと異端審問の処刑をまねて、犠牲者を生きたまま焼き殺すことさえありました……

一撃で人の首を切り落とせるか賭けをしていました」と彼は書いている。

彼はそれまで30年近くイスパニョーラ島の先住民の権利を擁護するよう訴えてきたが、新大陸から得る利益で富をなしていたスペインの権力者たちから無視され続けていた。しかし今回ばかりは、彼の告発は人々にそれを許さなかった。スペイン国王カルロス1世が神聖ローマ皇帝カール5世の

座につく前から、バルトロメが王の知偶を得ていたことも幸いだった。カルロス1世はのちに「インディアス新法」の名で知られることになる法律を導入し、植民地の役人の一部を罷免し、西インド諸島の先住民の労働環境を正当に管理監督するよう定めた。

　新法は、入植者にその土地の先住民を永久に使役する権利を与えてきたエンコミエンダ制を段階的に廃止し、現在の資格保持者（エンコメンデロ）が死去したら資格は継続できないと定めていた。奴隷を所有することは違法となり、先住民（残虐行為により人口の多くがすでに失われていた）は、以後スペイン人入植者にいかなる物品や労役も提供しなくていいことになった。

　バルトロメの目から見れば、インディアス新法の内容はまだまだ物足りないものだった。しかしヌエバ＝エスパーニャ（新しいスペイン）と呼ばれる新大陸のスペイン植民地の総督をふくむエンコメンデロたちの立場からすれば新法は行きすぎと思われた。バルトロメは新法反対派から脅迫を受け、暴動も起こった。新法は制定のわずか3年後に廃止された。バルトロメ・デ・ラス・カサスは失意とともに植民地を去り、残りの人生をスペイン宮廷における植民地先住民の代弁者として過ごした。

015

エリザベス1世がメアリー1世に 助命を願う手紙を書く

［1554年3月16日］

ヘンリー8世は必要のなくなった人物は容赦なく見捨てた。ヘンリー8世の死後、長女メアリー王女は腹違いの妹エリザベスをロンドン塔に送った。姉メアリーが父王の性質を受けついでいることを恐れたエリザベスは、姉に助命を願う手紙を書いた。

メ　アリーはヘンリー8世の最初の妻キャサリン・オブ・アラゴンが産んだ娘だった。エリザベスの母親は2番目の妻アン・ブーリンである。ヘンリーはアンと結婚するためにキャサリンとの結婚を無効にし、6回結婚した中の3番目の相手ジェーン・シーモアに心を移すと、今度はアンの首をはねた。ヘンリーが結婚を繰り返したのは男の世継ぎが欲しかったからで、ジェーンと結婚したことでやっと息子エドワードが誕生した。

ヘンリー8世が死去してエドワードが王位についたのは、わずか9歳のときだった。そのエドワードは15歳の若さで世継ぎを残すことなく病死してしまう。本来ならヘンリー8世の長女メアリーが王位を継ぐところだが、彼女はカトリックだった。ヘンリーはアンと結婚したことで教皇から破門されプロテスタントになっていたので、エドワードもプロテスタントとして育てられていた。そのためエドワードの家臣たちの画策により、母方の祖母がヘンリー8世の妹でプロテスタントだったレディー・ジェーン・グレイが女王として迎えられた。しかしジェーンは王位についたわずか9日後にメアリーを支持する貴族たちによって廃位されてしまう。こうして誕生したメアリー1世は、「ブラディー（血まみれ）・メアリー」として歴史に名を残すことになる。メアリーは父によるプロテスタントへの改宗をもとに

エリザベス1世の肖像画。
1546–47年にウィリアム・
スクロッツが描いたとされ
ている。だとすればこのエ
リザベスは13–14歳である。

もどそうとし、強引に自分の地位を固めようとしていた。

　1554年2月12日にジェーンが斬首され、3月18日には王位に関してメア
リーのライバルとなり得るエリザベスをロンドン塔の牢獄に幽閉する指示
がくだった。そこはジェーンが処刑されるまで幽閉されていた場所だっ
た。エリザベスはプロテスタントで、メアリーとカトリックであるスペイ
ン国王との結婚を妨げた陰謀事件に巻きこまれてもいたため、処刑という
最悪の事態も予想された。そこでエリザベスはメアリーに、自分は陰謀と
は無関係だと主張して助命を求める手紙を書いた。

　「神に誓って申し述べます。私はあなたに害を与えるようなことは、あ
るいはわが国に危険を与えるようなことは、何ひとつ行ったことも、相談

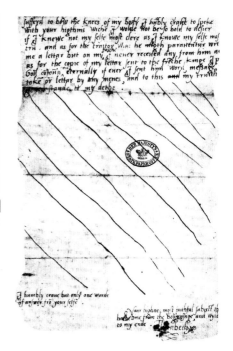

イングランドの宮廷をおおっていた陰謀の深さを考えれば、エリザベスにとって手紙に白紙の部分を残すことは危険だった。だから彼女は空白の部分を斜線で埋めたのだ。

したことも、同意したこともありません」と彼女は力説した。彼女に嫌疑がかかった証拠は、反逆事件の首謀者トマス・ワイアットがエリザベスに宛てたとされる捏造（ねつぞう）された手紙だった。「反逆者ワイアットの件については、ひょっとすると彼は私宛ての手紙を書いたかもしれませんが、私は彼の手紙など1通も受けとっていないと自信をもって言えます。フランスの王に送られた問題の手紙の写しについては、私は何も送っていません。私が本当に彼に一言でも何か書き送ったのだとしたら、どんな天罰でも甘んじて受けましょう」

　実際にはエリザベスは陰謀のかなりの部分を知ってはいたのだが、結局のところ彼女は陰謀に加担していなかったと考える歴史家が多い。エリザベスはメアリーに、家臣たちの話を聞くだけで終わらせず、じかに私の口

から抗弁を聞いて判断してほしいと懸命に訴えている。「どうか陛下の家臣たちの言葉だけをお聞きになるのでなく、私自身に陛下の前でお話しさせてくださいますよう、切にお願い申し上げます。できればロンドン塔に送られる前に、それが無理なら、私にこれ以上身に覚えのない罪がかぶせられる前にそうしていただけますようお願い申し上げます」

　エリザベスはこの手紙を書くのに長い時間をかけたので、それを送る前にテムズ川の流れが北海の潮汐の影響で変化し、もはやその日は彼女をロンドン塔に送ることができなくなっていた。それは偶然だったのだろうか？　エリザベスは頭の鋭い策士だった。手紙に署名をしたあと、残った白紙の部分に誰かが彼女を陥れるようなことを書きくわえないよう斜線を書き入れている。メアリーはエリザベスの抗弁をうけて命を奪わなかった。そして女王メアリーは1558年に世継ぎのないまま死去する直前、エリザベスが次のイングランド女王になることを承認した。

016

バビントンがスコットランド女王 メアリーに送った暗号文が解読され、 エリザベス女王暗殺計画が失敗する

[1586年]

エリザベス1世に捕えられていたスコットランド女王メアリーの支持者たちは、イングランド女王エリザベス1世の暗殺をたくらみ、メアリーと暗号文の手紙をやりとりしていた。しかし陰謀を企てているメンバーの中にイングランドのスパイが潜入していた。暗号は解読され、暗殺計画は無残にも失敗に終わる。

　スコットランド女王メアリーとイングランド女王エリザベスは従姉妹どうしだった。不仲になっていた2番目の夫ダーンリー卿ヘンリー・スチュアートが殺害され、その事件への関与が疑われる中でイングランドに亡命してきたメアリーも、イングランドの王位継承権をもっていた。そんなメアリーに対し、エリザベスは「私が、あなたの忠実な従姉妹として、あるいは親しい友人としての役割を果たすのは簡単なことではありません。その前に……世間の目はあなたをどう見ているかお伝えする必要があるでしょう。あなたは殺人犯を捕えるかわりに、犯人が罪を逃れるのを見て見ぬふりをしている、あなたが復讐しようとしないのは、あなたが夫の死を喜んでいたからだと言われているのですよ」と言った。

　メアリーが殺人事件の犯人と疑われていたボスウェル伯と再婚したことで、スコットランドは二派に分かれて争うことになった。反対派に捕えられロッホリーヴン城に幽閉されていたメアリーは、1568年、そこから逃れてイングランドに亡命し、従姉妹であるエリザベス女王の保護下に入った。

　初めのうち、メアリーの待遇は慣れ親しんでいた王族らしい生活に近

かった。しかしエリザベスには敵も多く、メアリーを利用してエリザベスを倒そうとする動きも起こってくる。メアリーは次第に自由を制限され、城から城へと移動させられるようになっていた。

イギリスの歴史ではお馴染みのことだが、この時も争いの中心には宗教問題があった。エリザベスとその治下にあるイングランドはプロテスタント、メアリーはカトリックだった。したがってメアリーは、イングランドをふたたびカトリックにもどそうという勢力の旗印となっていたのだ。そうしたカトリック勢力のひとりに、メ

1585年頃描かれたサー・フランシス・ウォルシンガムの肖像画。プロテスタントだったウォルシンガムは、エリザベスの腹違いの姉メアリー1世が王位にあったときはスイスと北イタリアに亡命していた。

アリーを解放してエリザベスを亡き者にしようと企んだイエズス会士、ジョン・バラードがいた。バラードが集めた仲間のひとりアンソニー・バビントンは、メアリーが一時的にシュルーズベリー伯の監視下で拘束されていたとき身近にいた伯爵家の小姓だった。

1586年初頭、バビントンは彼らの陰謀について記した手紙をメアリーに送った。しかしこの陰謀を計画した一派の中には、当初からエリザベス女王のスパイが潜入していた。バビントンの同僚で友人でもあったロバート・ポウリーはエリザベスに使える秘密警察長官サー・フランシス・ウォルシンガムにやとわれたスパイだった。ウォルシンガムはもうひとり、ギルバート・ギフォードという二重スパイも送り込んでいた。ギフォードはメアリーに届いたり、メアリーが出したりする手紙を幽閉先の城に運びこまれるビール樽のコルク栓に隠して密かに運ぶ役目となり、手紙の内容を

写してウォルシンガムにこっそり伝えていた。メアリーは従姉妹を殺害する計画を扇動したわけではないが、計画を認めてはいた。彼女は、自分が王位につくためにはカトリック国であるスペインの介入が欠かせないと、バビントンへの手紙に書いたこともあった。この手紙も他の手紙と同様にウォルシンガムの暗号解読者トマス・フェリップスに解読されていた。ウォルシンガムはさらに、その手紙に暗号で書いた偽の追伸をつけ足すことをフェリップスに命じた。バビントンが受けとったその手紙の末尾には、陰謀に加わる同志の名前をメアリーに知らせるようにと書いた偽の追伸が書き足されていたのだ。そしてメアリー自身が最後に書いた手紙が、ウォルシンガムが欲しくてたまらなかったもの、つまり彼女が陰謀に加担している証拠になった。彼女は「偉大な計画を開始しなさい」と書いていた

1586年、ウォルシンガム配下の暗号解読官トマス・フェリップスがメアリーからバビントンに宛てた手紙の1通に書き加えた偽の追伸。陰謀に加わっているメンバーの名前を教えるよう指示している。

アンソニー・バビントンから
スコットランド女王メアリーに送られた暗号文の手紙

最初に襲撃の確認をいたします。戦力は十分確保してあります。到着する港は決定しており、安全に上陸できるよう、それぞれの場所に強力な部隊を配置します。陛下の救出、王位簒奪者の殺害、すべて陛下にご満足いただけるよう全力を尽くしますのでどうかご安心を……遅延は大きな危険を招きますから、どうか陛下の賢明なるご指示を願いたく、また陛下のお言葉があれば、陛下がおられる御不自由な境遇(私たちには計り知れないこともありましょう)からお救いするために動く者たちの大きな力となりましょう。この国に生まれ貴族に従うことに慣れ親しんできた大勢の者たちをまとめ先頭に立つ指揮官はどうしても必要です。庶民や郷紳に有無を言わせず(何かと文句を言う者は必ずおりますから)従わせるためだけでなく、彼らを指揮する者に勇気を与えるためにも、どうか陛下のお言葉をいただきたく、お願い申し上げる次第です。西部に、北部に、北ウェールズに、南ウェールズに、ランカスター、ダービー、スタフォードの各州などいたる所にいる指揮官たちは、すでに陛下の御名のもとに固く忠誠を誓っております。それに関しては疑いの余地はありません……

……私自身は10名の郷紳および100名の配下の者たちと共に陛下の救出に向かいます。王位簒奪者の殺害については、いずれも私が古くからよく知る友であり、カトリックの大義と陛下の御ために尽くそうとする熱い心をもつ6人の貴族がそれに当たることになっております。

のだ。

1586年9月、陰謀を企てた一派は次々に検挙され、裁判で大逆罪を宣告されて、絞首刑のあと内臓をえぐり、さらに死体を四つに裂くという極刑に処せられた。メアリーはフォザリンゲイ城で公開裁判にかけられたが、一言の抗弁も許されなかった。暗号を解読された彼女の手紙が読みあげられ、イングランドの司教や貴族たちから構成された陪審団は45対1でメアリーに有罪の評決を下した。厄介な従姉妹とはいえその処刑を命じる書類への署名には長いあいだ躊躇していたエリザベスも、結局は署名を拒むことはできなかった。1587年2月8日に、メアリーは首をはねられた。

017

スペイン国王フェリペ2世はアルマダ（無敵艦隊）によるイングランド攻撃をあくまでも主張する

［1588年7月5日］

スペインの無敵艦隊アルマダは1588年5月、総司令官メディナ・シドニア公に率いられてスペインを出港した。その目的はイングランド侵攻のためにフランドル地方に集結していた軍隊を乗船させてイングランドに向かうことだった。メディナ・シドニア公は海軍の指揮官を務めた経験のない貴族で……それが問題だった。

アルマダを派遣する目的は、イングランドのエリザベス1世を倒してプロテスタント化したイングランドをカトリック国にもどすこと、そしてスペインに多くの利益をもたらしてきた新大陸との交易船を襲うイングランドの私掠船の活動を止めさせることだった。

　総司令官メディナ・シドニア公は、フェリペ2世が最初に任命したサンタ・クルス侯が急逝したために立てられた後任だった。命令されたことをきちんとやる人物だというのが、フェリペ2世が彼を選んだ理由だったようだ。メディナ・シドニア公に軍人としての経験はほとんどなく、まして海軍を率いたことは皆無で船酔いまでする始末だった。

　その弱点は、リスボンを出帆してすぐに試されることになる。艦隊はビスケー湾をわたるときに嵐に遭い、散り散りになってしまったのだ。メディナ・シドニア公はいったん引きかえし、出発を延期して艦隊を再結集させ、ア・コルーニャで艦船を修理しながら和平交渉を進めようと主張した。

　それに対するフェリペ2世の返答が1588年7月5日付の手紙である。彼はそこできっぱり指示している。「私はこれまでの出来事に対抗するための

今回の計画を中止するつもりはない。いずれにせよすでに着手した使命を遂行し、今後どんな困難が起ころうとそれを克服するように。このような困難で遠征を断念してはならない」

　メディナ・シドニア公は艦隊が寄せ集めであることに苦情をもらしている。艦船の総数130隻のうち軍船として造られたものはわずか28隻で、残りは貨物船を改造したものや兵員や物資を輸送するための平底船で、ビスケー湾のような外洋ではなく沿岸水域の航行に適したものだったのだ。

　艦船の多くは嵐が過ぎたあとも行方がわかっていなかった。任務の遂行に不安をもらすメディナ・シドニア公に対し、フェリペ2世は役に立ちそうもない艦船を探すことは止めて、航行可能な船で出帆を急ぐよう強く指

スペイン国王フェリペ2世からメディナ・シドニア公への手紙

貴君の今月28日付の手紙が昨日届いた。私がそれに返事を書く前に、貴君は私の今月最初で最後になる26日付の手紙を読むことになるだろう。そこに書いたとおり、私はこれまでの出来事に対抗するための今回の計画を中止するつもりはない。いずれにせよすでに着手した使命を遂行し、今後どんな困難が起ころうとそれを克服するように。もちろん艦船の修理が終わり、必要な兵員の補給がある程度完了してからのことだ。

私の言いたいことは、上記したように26日付の手紙にはっきり書いておいた。ただし、さらに付け加えることがある。艦隊を今月10日に出帆させるための条件として、隊から離れている船をもう一度集めてそれらの修理を迅速に終えること、そして残留する船の武器、乗員、食糧などを出帆する各船に早急に移すことが必要だ。残留する船とは修理に時間を要するもののことで、そのような船は船体だけを残し、乗員と積み荷のすべてを出帆する船に移すようにするのだ。

ここでもう一度、私の指示を繰りかえして明確にしておく。作戦会議の決定にしたがい、時間を無駄にしないために役に立ちそうもない船の12–15隻ほどは残して行き、その積み荷は他の船に積み替えること、今すぐ出発できない船もいずれ合流することを心に留めておくこと。

ここに貴君が作戦会議に伺いを立てた問題についての会議からの報告と意見を同封する。艦隊をア・コルーニャから出帆させて海岸沿いに行方不明の艦船の捜索を行う件については、断固却下する。それらの船とは艦隊を進めた先々で合流して遠征に向かうこと。貴君がこの趣旨で出す指令を私は承認する……

示している。「時間を無駄にしないために、役に立ちそうもない船を12–15隻ほど残して行き、その積み荷は他の船に積み替えるように」と手紙に書いている。ぐずぐずしていると用意した物資が足りなくなるおそれがあった。艦隊は2か月分の食糧と水を備えていたが、それがすでに底をつきそうになっている船もあったのだ。「港にいるあいだに新鮮なパンと肉を分配しておくように。必要な代金は予備費からまわせばいい」と王は命じた。

そして「私が命じたらすぐに出帆できるよう準備しておくように」と王は締めくくっている。和平交渉は不成立に終わっていた。翌日、メディナ・シドニア公は不本意ながら命令に従って再び艦隊を出発させた。英仏海峡には逆風が吹き、ネーデルラントで待機しているはずの援軍とは連絡がとれなかった。サー・フランシス・ドレークが率いるイングランド軍はカレーの港の外に停泊しているスペインの艦船の隙をついて火薬を積んだ船による攻撃をしかけてきた。これらの困難に北海の嵐まで加わってスペイン無敵艦隊は屈辱的な敗北を喫したのだ。

イングランド軍の司令官ドレークとサー・ジョン・ホーキンスは、大きくて重いスペインの大型帆船とは異なる、小型でスピードの出る軍艦を使っていた。また火薬船でスペイン艦隊を大混乱に陥れ、待機していた艦船が海に逃れた敵兵を引き上げた。

それでもフェリペ2世はさらに1596年と1597年の2回、規模を縮小した艦隊を派遣したが、途中で嵐に遭ってまたしても勝利できなかった。1588年の海戦にイングランドが勝利したことで、イングランド海軍の優位性と北ヨーロッパにおけるカトリック勢力の弱体化が証明されたのだ。ちなみに、スペイン艦隊の3分の1はスコットランドとアイルランドの沖合で難破したので、アイルランドのコネマラ山地に生息している野生の馬は岸に泳ぎ着いたスペインの軍馬の子孫だろうと言われている。

018

モンティーグル卿は慎重な文面で陰謀をほのめかす匿名の手紙を受けとる

［1605年10月26日］

1605年の火薬陰謀事件とはカトリックの過激派がイングランド議会の開会初日に議事堂を爆破し、その日に臨席するプロテスタントの国王ジェームズ1世を亡き者にしようとした事件である。決行予定日の1週間前、上院議員でカトリックの重要人物だったモンティーグル卿は1通の匿名の手紙を受けとった。

エリザベス1世が世継ぎを残すことなく死去したあともイングランドはエリザベスの政策を引きついでプロテスタントを国教とすることを選び、彼自身もプロテスタントであるスコットランド王ジェームズがイングランド王を兼ねることになった。皮肉なことに、このジェームズ1世は、イングランドの王位をねらう陰謀が露見してエリザベス1世に処刑された前スコットランド女王、熱烈なカトリックだったメアリーの息子だった。

モンティーグル卿もカトリック側の一員としてエリザベス女王暗殺の陰謀にかかわって投獄された経験がある。しかしジェームズ1世はエリザベス1世よりはカトリックに寛容だろうと思われていたので、モンティーグル卿は王に、もう二度と陰謀にくわわることはないと確約していた。

しかしカトリック教徒のすべてが新しい王に同じ気持ちを抱いていたわけではなかった。モンティーグル卿と同じ陰謀に加担し、同じように投獄された経験をもつロバート・ケーツビーは、1603年にジェームズ1世が即位したあとも、期待したほどカトリックに好意的ではないと感じていた。1604年、彼は議会上院の議場を爆破してジェームズを亡き者にする計画

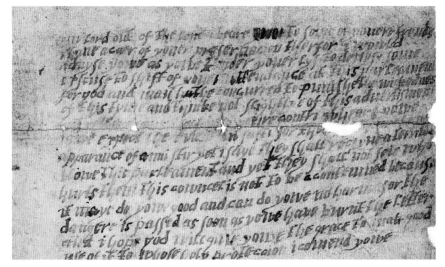

陰謀を失敗させた匿名の手紙。

を立てる。1605年11月5日に議会の開会式典が行われ、国王はかならず臨席することになっていたのだ。ケーツビーは、議場の爆破を皮切りにカトリック信者のイングランド王を迎えるための蜂起を開始するという彼の計画に賛同する同志を集め始めた。

　爆破によって上院に属する何百人ものプロテスタントの貴族や多くの一般人の命が奪われることについて、ケーツビーは特に気にしてはいなかった。しかしかつてカトリックの大義のためにともに戦ったモンティーグル卿のような貴族たちも王の巻き添えになる。モンティーグル卿が受けとった手紙は匿名だったが、おそらくケーツビーかあるいはモンティーグル卿のカトリック寄りの心情を知る誰か書いたのだろう。

　手紙の文面は、遠まわしながら言いたいことは十分に伝わるものだった。カトリックという言葉は書いていないが「貴兄およびご友人方に好意をいだく者」とあり、プロテスタントという言葉は使わずに「神と人とが現在この国にはびこる邪悪な者たちを罰する日」としてある。そして「何らかの理由をつけて議会へ出席する予定を変更されるよう」に勧め、「領地にも

モンティーグル卿宛ての匿名の手紙

1605年10月26日

謹啓　貴兄およびご友人方に好意をいだく者として一言お知らせします。貴兄の身の安全のため、何らかの理由をつけて議会へ出席する予定を変更されるようご忠告します。と言うのも、その日は神と人とが現在この国にはびこる邪悪な者たちを罰する日だからです。この忠告を軽視することなく、領地にもどられて安全な所で事の成りゆきを見ていただきたい。大混乱になることはないでしょうが、議会は大きな打撃を受けるでしょう。しかし誰のせいかはわからず、私のこの忠告があなたのためであっても、あなたには何の疑いもかからないでしょう。この手紙を焼き捨てておけば何も問題はないのですから。この機会をあなたがうまく利用できるよう、神のご加護を祈ります。　謹白

どられて安全な所で事の成りゆきを見ていただきたい」と忠告している。

　その日に何が起こるのかも暗に伝えている。「議会は大きな打撃を受けるでしょう。しかし誰のせいかはわからず……」。そしてモンティーグル卿が陰謀への加担を疑われることを心配して手紙の忠告を無視することのないよう「手紙を焼き捨てておけば何も問題はないのです」とまで書いている。

　モンティーグル卿が新しい王におもねる目的から自分でこの手紙を書いたのだという説もある。しかし彼は約束を守る男であり「もう二度と陰謀に加わることはない」と王に確約した言葉を守ってその手紙を王の秘書官に届け、秘書官はそれを王に届けた。結果は誰もが知る有名な話だ。開会式典の前夜、議事堂内は徹底的に捜索され、地下室で石炭の山の下に隠した火薬入りの樽を見張っていた一味のひとりガイ・フォークスが見つかった。

　拷問されたガイ・フォークスは仲間の名前を白状し、1606年1月に全員が処刑された。モンティーグル卿はプロテスタントの国王に示した忠誠により、国から報奨金と土地を与えられた。彼が受けとった匿名の手紙は、今もイギリス国立公文書館に保存されている。

019

ガリレオが望遠鏡で
木星の衛星を見たことを報告する

[1610年1月]

ガリレオ・ガリレイはしばしば近代科学の父と呼ばれる。彼は問題をいろいろな角度から見ることで解決を見出す知性と好奇心を備えていた。1610年1月、彼は新しい天文学上の発見について言葉と図を使って報告する手紙を書いた。

ガリレオは17世紀最初の10年間、北イタリアのパドヴァ大学で幾何学、天文学、力学を教えていた。1609年、彼は遠くの物を見るためにネーデルラントで発明された初期の小型望遠鏡を見せられた。そしてこの原始的な望遠鏡の原理をすぐに理解し、その改良に取りくみ始めた。

ガリレオは自分の望遠鏡が完成すると、ヴェネツィア共和国の総督レオナルド・ドナートに手紙を書いた。当時のヴェネツィアはネーデルラントと同様に海上交易で富を築いておりヴェネツィア総督なら、それまでのものよりずっと性能が向上した彼の望遠鏡に関心を示すと思ったからだ。「この望遠鏡を使えば、敵国の船の乗員が目視でこちらの船を発見する2

ガリレオ・ガリレイの肖像画。彼が70歳代だった1640年頃の作。

Ser.mo Prn̄cipe.

Galileo Galilei Humiliss.o Seruo della Ser:a V.a inuigilan=
do assiduam.te, et con ogni spirito p̄ potere nõ solam.te satisfare
al carico che tiene della lettura di Matematiche nello Stu=
dio di Padoua,

Stima dauere determinato di presentare al Ser.mo Prn̄cipe
l'Occhiale et essere di giouamento inestimabile p̄ ogni
negozio et impresa marittima o terrestre stima di tenere que=
sto nuouo artifizio nel maggior segreto et solam.te a dispositione
di S. Ser:a L'Occhiale cauato dalle piu recondite speculazioni di
prospettiua ha il uantaggio di scoprire Legni et Vele dell'inimico
p̄ due hore et piu di tempo prima ch'egli scuopra noi et distinguendo
il numero et la qualita de i Vasselli giudicare le sue forze
p̄ allestirsi alla caccia al combattimento o alla fuga, o'pure anco
nella campagna aperta uedere et particolarm.te distinguere ogni suo
moto et preparamento.

Adi 7. di Gennaio
Gioue si uedde con . . . oci:
Adi 8 così . . . ori:
era duq̄ diretto et nõ retrogrado
Adi 12. si uedde in tale costitutione . . . oui:
Il 13 si ueddero uicinissime à Gioue 4 stelle . . . ò meglio così
Adi 14 è nugolo
Il 15 . . . la prossima à 4 era la minore la 4.a era di=
stante dalla 3.a il doppio l'aira
Lo spatio delle 3 occidentali nõ era
maggiore del diametro di 4 et e=
rano in linea retta.

4 long. 71.38 lat. 1.13

ヴェネツィア総督レオナルド・ドナート宛てにガリレオが書いた手紙。
「木星の月に関する記録」が添えてある。

時間前に相手を発見できるので」とガリレオは書いた。

あらかじめ敵船がどの程度の戦力をもっているかを見きわめておけば、優位に戦えることは明らかで「敵船を追跡したり、戦ったり、あるいは敵から逃げたりする準備ができます」とガリレオは指摘する。海上だけでなく陸地でも「開けた土地なら細かいところまでよく見わたすことができ、敵の動きもすべてわかり、それに備えることができます」。

しかしガリレオは望遠鏡という新しい装置にさらに大きな可能性を感じていた。なぜ地上だけを見て終わってしまうのだろう？　天文学者はすでに望遠鏡を使って天空をのぞいていた。彼は総督宛ての手紙の余白に木星の四つの月のスケッチを描いた。彼はその手紙を書く少し前に望遠鏡でそれを見つけて以来、曇っていた1月14日を除く毎晩、木星と四つの月との位置関係を示す図を描いていた。

ガリレオ・ガリレイからヴェネツィア総督レオナルド・ドナートへの手紙

尊敬する総督殿下へ

ガリレオ・ガリレイは心より殿下のもとにお仕えし、パドヴァ大学での勉学と数学の研究に心血を注いでおりますが、それに加えこのたびは海上および陸上におけるヴェネツィア共和国の活動に大いに役立てていただくべく私が制作いたしました望遠鏡についてお知らせいたしたく、この手紙を書いた次第です。

この発明品は殿下のほかにはまだ誰にも見せておりません。

この望遠鏡を使えば距離の測定がきわめて正確にできます。

この望遠鏡を使えば、敵国の船の乗員が目視でこちらの船を発見する2時間前に相手を発見できるので、あらかじめ敵の船の数と性能を見てどの程度の戦力があるかを見きわめて敵船を追跡したり、戦ったり、あるいは敵から逃げたりする準備ができます。また開けた土地なら細かいところまでよく見わたすことができ、敵の動きもすべてわかり、それに備えることができます。

望遠鏡による観察を通じて、ガリレオはその四つが星ではなく木星の周囲を周回する月だと結論づけている。太陽系で地球の月以外の月を発見したのはガリレオが最初で、この四つの衛星——イオ、エウロパ、カリスト、そしてもっとも大きいガニメデ——は「ガリレオの月」と呼ばれている。

　「ガリレオの月」は惑星の周囲を回っていることが知られている79個の衛星の中ではもっとも大きい。これらの月の発見により、それまで広く信じられていた宇宙の星はすべて地球を中心に回っているという説が疑わしくなってきた。さらに研究を続けたガリレオが地球は太陽の周囲を回っているという地動説に至ったのは有名な話だ。この説はそれまで定説とされてきた世界観を大きく揺るがすものだったのでガリレオは自説の撤回を迫られ、それ以後の生涯を自宅軟禁の状態で過ごすことになる。

　しかし彼は正しかった。1989年にはアメリカ航空宇宙局が彼の名にちなんで名付けた木星探査機ガリレオを打ち上げた。この探査機は木星とその衛星を近距離から観測する使命を帯びていた。そして2003年、使命を遂げたガリレオは木星表面に落下させられた。1609年に手作りの望遠鏡で初めて観測された木星から探査機ガリレオが送ってきたデータのおかげで、木星に関する私たちの知識は計り知れないほど増大したのである。

020
チャールズ2世が議会の 既得権を尊重すると確約する

［1660年4月4日］

イングランドが共和国だった時期がある。国王軍と議会軍が統治権をめぐって戦った イングランド内戦（清教徒革命）の結果ジョージ1世が斬首され王太子チャールズ2世は ヨーロッパ大陸に逃れた。オリバー・クロムウェルが護国卿と名のって共和国の統治に あたった。クロムウェルが死去するとチャールズ2世にチャンスが巡ってくる……

　チャールズ1世は、王権は絶対的なものであり、国家の問題はすべて王に決定権があると信じていた。軍隊を率いて王と議会を廃し、5年のあいだ護国卿を名のって共和国を支配していたクロムウェルもチャールズ1世と同じように絶対的権利を行使していたのは歴史の皮肉と言える。

　1658年にクロムウェルが死去すると、これも王政のなごりで息子のリチャード・クロムウェルが護国卿の地位についたが、彼には父親ほどの器量も才覚もなかったので、クロムウェルの内戦勝利に貢献したニューモデル軍が議会と協力して護国卿を廃位した。しかしその議会が統治権を行使し始めると、軍は議会を解散させ、国内はさまざまな勢力が統治権を争う無政府状態に陥った。

　内戦時の功績によりクロムウェルからスコットランド総督の地位を与えられていた将軍ジョージ・モンクが軍とともに南進し、国内に一定の安定を回復させた。議会派にとって予想外だったのは、ここでモンクがチャールズ1世の息子チャールズ2世——当時はネーデルラントに亡命していた——に、国の混乱を救うためにイングランドにもどって王位についてほしいと頼む手紙を秘かに送ったことである。そのときチャールズが書いた手

チャールズ2世は芸術家の庇護に熱心で、自分が正当で偉大な君主であることを強調するために絵画を利用した。これはジョン・マイケル・ライトによる肖像画で、即位を示す宝珠と笏を手にしているが、じつによく似合っている。この宝珠と笏はエリザベス2世が1953年に即位したときにも使われた。

紙が、のちに歴史家が「ブレダ宣言」[ブレダはチャールズが滞在していた町の名前]と名づけることになる宣言書だった。

　この手紙は求人の応募書類に似たもので、チャールズは自分が王位についたら何をするかを述べている。対立を解消するためかつて王権にそむいた敵にも「広範な恩赦」を認めるつもりだとして「40日以内に……王のもとにもどり、従順な善き臣下になる」ようにと書いた。ただし父親チャールズ1世の斬首に加わったものは例外だとしている。

　またそれまでの何代かの王がカトリックとプロテスタントとの争いに苦慮していたことから、信教の自由を約束し「議会の分別ある判断により、

チャールズが議会
宛てに書いた手紙
は印刷され、多く
の人々の目に触れ
た。

チャールズ2世が臣下に宛てた手紙

神の御加護の下、イングランド、スコットランド、フランス、アイルランドの王、信仰の
擁護者であるチャールズは、以下のことを宣言する。

王国のほとんどを巻きこんだ騒動と混乱の状態、そしてそれによって受けた傷があまりに
も長く血を流し続けてきた国にあるすべての国民が、現状を変えてほしいとの切なる願い
に目覚めていないと言うのなら、ここでこれから語ることは無駄になるであろう。しかし
長く沈黙を守ってきた私も、私がイングランドのために何ができるかを明言すること、私
が、神の摂理にしたがって神から与えられ行使してきた権利を回復することが、今まさに
求められていると考えたのだ。長く悲惨と苦難の状態にあった私と私の臣民を憐れんだ神
は、できる限りこれ以上の血を流すことなく、臣民の苦しみを極力避けつつ、ふたたび私
の権利が回復されることを望んでおられる。私の権利を回復するだけでなく、すべての臣
民が国のどこにあっても正しい法の裁きと温情を広く受けられるよう望んでおられるのだ。

何人も過去の行いに対する罰に脅える必要はなく、その報いを受けることはない。神はか
くも大きな苦難と悲惨に見舞われた王と臣民を憐れまれ、この文書が公にされて40日以内
に申し出れば、イングランドの国璽[国の印章]の下で広範な恩赦が行われるだろう。ただ
し恩赦は議会が除外を決定した者に対しては適用されない……

非国教徒にも信教の自由を認める寛容な法令が定められれば、それに同意するつもりだ」と書いた。

　ここで見る限り、彼は議会とともに国民の幸福のために努力する王になるつもりがあったようだ。彼は「自由な議会」という言葉を用いて「議会の意見を王の発言より尊重する」とした。しかし王は内戦時に混乱した個々の土地の所有権問題の解決を巧妙に議会まかせにし、モンク将軍配下の軍人たちに多額の報奨金を支払い、それ以後も王直属の軍隊として破格の待遇で雇う費用をまかなうための財政措置も忘れなかった。

　「ブレダ宣言」は関係する誰にとっても前進するための第一歩を提供するものだった。王は王位を回復し、前王の処刑に関わった者をのぞけば、王権を倒した者のほとんどは罰せられなかった。チャールズ2世がいみじくも語ったように「受けた傷があまりにも長く血を流し続けてきた」国に平和的な君主制を回復する可能性をもたらすものだった。

　モンクが招集した特別議会は、チャールズ2世は父王チャールズ1世の死の直後からすでに王位にあったと宣言した。1年後、ウェストミンスター修道院でチャールズ2世の戴冠式が行われ、イギリスの議会制民主主義の幕が開かれたのである。

021

イングランドの貴族たちがオランダ総督ウィレム3世をイングランド国王オレンジ公ウィリアムとして招く

[1688年6月30日]

歴史は勝者によって書かれる。だから外国に住む人物をイングランドの王として招く手紙に署名した7人は「7人の裏切り者」ではなく「7人の英雄」として記憶されているのだ。彼らの手紙が契機となった出来事はのちに「名誉革命」と呼ばれることになる。

　れは反逆罪に該当する行為だった。1688年、ジェームズ2世治下のイングランドで3人の伯爵、ひとりの上院議員、ふたりの軍人、そしてロンドン主教、合わせて7人のイングランド人が、ひとりの外国の王族に、軍隊を率いて英仏海峡をわたりイングランド王になってほしいという内容の手紙を送ったのだ。これほどの地位の人々をそのような行為に駆りたてた動機は宗教だった。

　チャールズ2世はイングランドの王位に復活する際に寛容な宗教政策をとると約束したのだが、英国教会は議会を使って国教会信徒以外の人物を公職から締め出す手段に出たので、カトリックや清教徒やその他の少数派は次第に勢力を失いつつあった。チャールズ2世自身は死の床でカトリックに改宗し、王位をカトリックである弟のジェームズ2世に継がせた。ジェームズ2世はさっそく軍隊や行政の高い地位にカトリック信者を登用し始め、彼の2番目の妻が子どもを産むとその子もカトリックとして育てたので、英国教会側はカトリック王朝設立の脅威を感じ始めていた。

　ジェームズ2世が、自分が発した「信仰自由宣言」——カトリックや英国教会以外のプロテスタントも寛容に扱うとした宣言——をすべての英国教会の説教壇で読みあげるよう命じたことで対立は頂点に達した。国教会の

主教のうち7人がそれを拒否して逮捕され、扇動罪に問われた。しかし1688年6月30日、7人は無罪を宣告された。カトリック復権を強引に進めようとするジェームズ2世の権威にさからう決定だった。

その日の午後「7人の英雄」はネーデルラントにいるオラニエ公ウィレム（英語ではウィリアム）に手紙を書いた。ウィレムはジェームズ2世の最初の妻が産んだ娘メアリーと結婚しており、このふたりは熱心なプロテスタントだった。ジェームズ2世の息子が生まれるまでは、ジェームズ2世の王位を継承するのはメアリーのはずだった。

手紙の内容はジェームズ2世の新しい宗教政策に対する反乱の意志をはっきりと表明するものだった。「宗教、自由および土地所有に関する今

1680–1684年頃に描かれたオラニエ公ウィレムの肖像画。ボイン川の戦いはイングランド、スコットランド、アイルランドの王位についていたふたりの王による最後の決戦になった。

イングランドの貴族と主教たちからオラニエ公ウィレムへの手紙

殿下には私たちのかかえる問題にお力添えくださる強いお気持ちがあると知り……私たちは非常に嬉しく思っております。こちらの状況はますます悪化の一途をたどり、もはや私たちの手には負えなくなりそうです。そうなる前に何とか状況を打開する手段が得られれば、それにまさる喜びはありません。もっともこれは私たちの願いであって、殿下の顧問団の判断を誤らせる意図は皆目ありません。私たちにできるのは殿下に現在この地で起きていること、私たちには困難と思われることをお伝えすることだけです。

　まずこの地の現状についてですが、宗教、自由および土地所有に関する今回の政府の方針（どれもが大きく抑圧されつつあります）に国民は大きな不満をいだいています。しかも誰もが状況はさらに悪くなると予想しています。ですから国民のほとんどが変化を切望しています。そして彼らは、彼らの蜂起を支持する勢力、彼らが態勢を整える前に王側に圧殺されることを妨げてくれるような勢力が存在するとわかれば、かならず蜂起するはずです。貴族や郷紳の大部分も同じことです。あらかじめ彼らに多くを知らせておくことは危険かもしれませんが、殿下がイングランドに上陸された暁（あかつき）には、重要な地位にある貴族たちのほとんども殿下の大義に加わると確信できます。いったん軍の結集が始まれば、その規模はどんどん大きくなるでしょう。上陸軍の勢力が大きくなれば迎え撃つイングランド軍も2倍に膨らむでしょう。しかし彼らの団結力は蜂起軍よりはるかに弱いのです。士官の多くは生活のために国王軍にいるだけで、任務に満足しているわけではないからです（しかも彼らの本心は前に書いたとおりですから）。そして兵士たちの多くは常にカトリックに対する嫌悪をあらわにしていますから、その多くがこの機会に国王軍を離脱し反乱軍に加わることはほぼ間違いありません。水兵たちにしても、このような戦闘で王のために戦いたいと思う者はひとりもいないでしょう……

回の政府の方針に国民は大きな不満をいだいています……殿下には王国のほとんどの国民が変化を切望しているとご理解いただきたい」

　手紙の筆者たちは、ウィレムがイングランド侵攻を決意するならイングランド軍がウィレム側に付くことはほぼ確実だと保証した。「イングランド軍の兵士たちの多くは常にカトリックに対する嫌悪をあらわにしていますから、その多くが国王軍を離脱し反乱軍に加わることはほぼ間違いありません」

　2番目の王妃が産んだとされる男の赤ん坊は偽者（にせもの）だ——本当の王子は死

産だったので、代わりの赤ん坊を便器に入れてこっそり王妃の寝室に運び込んだのだ——といううわさが広まっていた。「その男児が王妃から生まれたと信じる者は1000人にひとりもおりません」と手紙は続き、正統な男の世継ぎがいないことがウィレムによる侵攻の根拠になると指摘した。

　ウィレムはついにデヴォンに侵攻し、ネーデルラント軍がイングランドに侵攻したことが、名誉革命として歴史に記録された。これを契機に英国教会は恒久的にイングランドの国教となり、最後のカトリックのイングランド国王となったジェームズ2世は大陸に亡命した。しかし彼はもう一度アイルランドのカトリック勢力の協力をとりつけて最後の抵抗を試みている。しかし1690年7月1日、すでにイングランド王ウィリアム3世となっていたウィレムがボイン川の戦いでジェームズを破った。この戦闘がアイルランドのカトリックとプロテスタントのあいだに現在も残る深い溝を刻んだのだ。これも350年近く前にオラニエ公ウィレム宛てに書かれた手紙の余波には違いない。

022

ベンジャミン・フランクリンの
盗まれた郵便物により
政治的スキャンダルが発覚する

[1773年]

ベンジャミン・フランクリンはマサチューセッツ湾植民地の初代郵政長官で、同植民地の代表としてロンドンで活動していた。ある日、彼はマサチューセッツ湾植民地総督のトマス・ハッチンソンから書記官のアンドリュー・オリバーに宛てた手紙の束を渡された。それは危険をはらむ内容の手紙だった。

問題となった一連の手紙が書かれたのはフランクリンのもとに届けられる2、3年前のことで、イギリス本国の植民地政策に対する不満がすでに高まっていたころだった。1760年代、イギリスはアメリカの植民地防衛に充てる軍事費を補うため、植民地の住民に一連の税金を課していた。それに対し植民地住民は、税金を払うからにはその使途を明確に示すべきだと主張していたのだ。「代表なくして課税なし」が彼らのスローガンだった。

　ハッチンソンとオリバーのあいだで交わされていた手紙は、この先に起こりうる不穏な事態にどう対処するかを相談する内容のものだった。彼らには民主主義的な要求に譲歩するつもりはまるでなかったようで、植民地駐留軍の強化を要請して「イギリス人の自由」を抑制する——植民地住民はイギリス国王の臣民だが、イギリスに住んでいる国民と同じ権利を有することはできないとする——ことについて相談していた。

　フランクリンは、一連の手紙の内容をマサチューセッツの通信委員会に知らせておくべきだと考えた。通信委員会とは、植民地の独立に関する情報を共有するために設立されていたいくつかの委員会のひとつである。彼

マサチューセッツ植民地総督トマス・
ハッチンソンの肖像画。植民地を追放さ
れてからは終世イギリスで暮らした。

はそれらの手紙がはらむ危険性を理解していたので、手紙の内容は委員会
の外部には秘密にしておくよう強く勧告していた。ところが手紙の内容は
1773年6月のボストンガゼット紙に掲載され、植民地住民の怒りをかきた
てる結果を招いてしまう。

　イギリス東インド会社が植民地に茶を輸入するさいの税金を免除し、植
民地の輸入業者の活動を妨げる新法がその年の夏に制定されたことで、ボ
ストンの住民の怒りは頂点に達した。ボストンの輸入業者は東インド会社
の船に乗りこみ、積み荷の茶箱を海に投げ捨てる行動に出た。有名なボス
トン茶会事件である。

　イングランドでは、ベンジャミン・フランクリンが問題の郵便物を通信
委員会に送ったことを認めさせられ、茶会事件とハッチンソンの手紙の内
容についての審問の席できびしく追及された。そして窃盗と不名誉な行為
の罪で郵政長官の地位をはく奪された。ハッチンソンは責任を問われな

フランクリンがロンドン・クロニクル紙の編集者に宛てた
1773年12月25日付の手紙

　拝啓　ふたりの紳士が彼らには何の責任もなく訳もわからないまま、ある問題について不運にも決闘に追いこまれたことを知り、問題の郵便物を入手してボストンに送ったのは、ほかならぬこの私であると明言すること（私にできるだけのことをして、これ以上の騒動がおきないようにすること）が私の義務だと考えました。それらの手紙がＷ氏［ウィリアム・ウェイトリー］の手元にあったことは一度もなく、彼がその内容に触れることは不可能でした。そして同じ理由によりＴ氏［ジョン・テンプル］がＷ氏からそれらを奪うことも不可能でした。問題の手紙は「友人どうしの個人的なやりとり」ではありません。公職にある人物たちが公的な事柄についてやりとりし、とるべき公的な手段について相談する内容でした。だからその内容にしたがって対応手段を講じる立場の人物の手にわたったのです。その手紙の内容はイギリス本国の植民地に対する怒りをかきたて、両者の溝を深めることを意図していました。その内容は植民地の代表者には絶対にもれてはならず、もし彼らの手に落ちれば、彼らは必ずやそれを、あるいはその写しを植民地に送るであろうことは、手紙の書き手にはわかっていたはずです。そして書き手の予想どおりになったのです。手紙を手に入れた人物はそれを公表することが義務だと考えたのですから。敬具
　　　イギリス駐在マサチューセッツ湾植民地議会代表　　　ベンジャミン・フランクリン

ウィリアム・ウェイトリーが問題の手紙を盗んだとジョン・テンプルを責め、テンプルがそれを否定したとき、責任を感じたフランクリンは手紙の内容をもらしたのは自分だと名のり出た。テンプルはウェイトリーに決闘を申しこみ、1773年12月初頭の決闘で相手に傷を負わせた。2度目の決闘が行われると聞いたフランクリンは、ロンドンクロニクル紙に手紙を書いた。

かったが、まもなく植民地総督の職を解かれた。彼の後任にはイギリス北米軍司令官トマス・ケージが任命された。

　審問の席でずっと沈黙を守っていたフランクリンは、アメリカに帰ったときにはイギリスからの独立はもはや避けられないと固く決意していた。1774年、イギリス議会は本国に反抗的なマサチューセッツ植民地に対する一連の懲罰的な法律——「耐えがたき諸法」あるいは「高圧的諸法」と呼ばれた——を通過させた。それがまたイギリス本国に対する反感を強め、1年もしないうちに全面的な独立戦争として爆発することになる。独立戦争が収束するとフランクリンは独立宣言の起草に加わった。ボストン生まれのハッチンソンは植民地を追放され、その後はイギリスで暮らして、マサチューセッツ湾植民地の歴史を記録した3巻から成る著書を残した。

023

アビゲイル・アダムズが夫ジョン・アダムズに手紙を書き「女性たちのことを忘れないでください」と訴える

［1776年3月31日］

ジョン・アダムズはアメリカ独立宣言を起草したメンバーのひとりだった。他のメンバーはトマス・ジェファーソン、ベンジャミン・フランクリン、ロバート・リヴィングストン、ロジャー・シャーマンである。独立宣言の内容については多くの人がそれぞれの意見をもっていた。ジョン・アダムズの妻アビゲイルもそのひとりだ。

ジョン・アダムズと妻のアビゲイルのあいだで交わされた手紙は、アメリカ合衆国初期の歴史の裏側を知ることのできる興味深い史料である。体験した者ならではの独立戦争前後の話は非常に貴重だ。アビゲイルも独立を強く支持しており、アダムズ夫妻は新しい国家の精神面、政策面の理想像について熱心に語り合っていた。

独立宣言は新しい国家のスタートを告げる合図となる。信仰を守るためにはるばる新大陸まで航海してきたピルグリムファーザーズが住みついた土地が、これから自分たちの手で選ぶ制度にしたがって治め、治められる国に、自分たちが何でも描くことのできるまっさらなキャンバスになるのだ。フィラデルフィアで委員会のメンバーとともに議論を詰めていたジョンのもとに、アビゲイルはマサチューセッツのブレーントリーからたびたび手紙を書いていた。彼女は夫たちがかかわっている仕事がいかに重要なものかよく理解していた。「あなたたちが独立宣言を書いたという報告を聞くのが待ち遠しいです。ついては新しい法典を作ることになると思いますが、そのときには女性たちのことも忘れないでくださいね」

「ミー・トゥー運動」が起こる250年も前に、アビゲイル・アダムズは男

性だけで構成されている委員会に向かってこう主張したのだ。「夫たちに無制限の権力を与えてはいけません。それを認めてしまえば、どんな男でも暴君になる可能性があるのですから」。しかしアビゲイルは、ジョンは例外だと思っていたようだ。「何歳であろうと分別のある男性なら、女性を男性に従属するだけの存在として扱う悪習を嫌悪しています。それなら私たち女性を、神意によってあなたたちの保護下に造られたものと思い、神がなさったのと同じようにあなたたちの力を女性の幸福のためだけにつかってください」

アビゲイルは、おそらくは冗談半分に「女性に特段の配慮がなされなければ、私たちは反乱を起こ

アビゲイル・アダムズも夫のジョン・アダムズも合衆国初代財務長官になったアレクサンダー・ハミルトンには好意的でなかった。アビゲイルは手紙に「彼の邪悪な目を見て心の中が読めたことが何度もありました。目の中に悪魔が見えたのです。あの目は好色な目です。もしそうでなかったら、私には人を見る目がないことになります」と書いている。［ハミルトンについては本書で後述している］

しますよ。私たちの声が反映されていない、私たちの代表がいないところで決められた法律に私たちは従いません」と書いている。自分たちの代表を議員として受けいれないイギリス議会が定めた法律や課税に従うことを拒否したアメリカ植民地（の男たち）が叫んだ言葉をまねることで、独立運動の理念を思い出すようほのめかしていたのだ。

アビゲイルが冗談のつもりで書いたのかどうかは定かでないが、夫のほうは冗談だと思ったようだ。ジョンはおっとりと構えて彼女をなだめている。「法規についてのあなたの大胆な意見には笑いを禁じ得ませんね。そ

れについては、私たちは今の制度を変えてしまうほど馬鹿ではありません。今の制度なんて建前にすぎないじゃありませんか……実際には男はご

アビゲイル・アダムズからジョン・アダムズへの手紙

私があなたに書く手紙の長さのせめて半分でも、あなたが私に書いてくだされば嬉しいのにと思っています。ところで、差し支えなければ教えてください。あなたの艦隊は今どこにいるのですか？ 私たちの敵からヴァージニアを守るために何が行われているのですか？ どんな防衛策がとられているのですか？ 植民地の地主や彼らに仕えている人々は、イギリス本国人が私たちをさして言うような野蛮な原住民ではないことを見せつけていますか？ ライフルを構える植民地の人々が野蛮で血に飢えた人間に見えなければいいのですが。本当はそんな人たちではないのですもの。

大陸会議の面々がワシントンを総司令官にしたことはよかったと思いますが、ダンモアにうかうかと欺かれたのは残念なことでした。
　私は、別の人間から奪うことに慣れた人々は自由を求める気もちがそれほど強くないのではないかと思うことがあります。彼らはキリスト教の寛大な教え、自分が他人にしてほしいと望むことを他人にしなさい、という教えに反しているのです……

あなたたちが独立宣言を書いたという報告を聞くのが待ち遠しいです。ついては新しい法典を作ることになると思いますが、そのときには女性たちのことも忘れないでくださいね。そしてあなたたちの先祖より、女性に優しく好意的であってください。夫たちに無制限の権力を与えてはいけません。それを認めてしまえば、どんな男でも暴君になる可能性があるのですから。女性に特段の配慮がなされなければ、私たちは反乱を起こしますよ。私たちの声が反映されていない、私たちの代表がいないところで決められた法律に私たちは従いません。

男は生まれつきの暴君なのだとあまりにも長く言われ続けてきたせいで、それが当然のようになっていますが、男性たちが本当に幸福になりたいと願っているのなら、不愉快な主人という呼び方は捨てて、やさしい響きで情愛のこもった友人という呼び方に変えるべきです。そうして、女性に敬意をもつ必要はなく無慈悲に扱っても構わないという、無法で非道な権力など捨てるのです。何歳であろうと分別のある男性なら、女性を男性に従属するだけの存在として扱う悪習を嫌悪しています。それなら私たち女性を、神意によってあなたたちの保護下に造られたものと思い、神がなさったのと同じようにあなたたちの力を女性の幸福のためだけにつかってください。

アビゲイル・アダムズが「女性たちのことを忘れないでください」と書いた有名な手紙。

婦人方の家来のようなものです。ただ主人という肩書きがあるにすぎません」

　独立宣言の「すべての人間は平等に造られた all men are created equal」という表現にある 'men' は「人類すべて」の意味で使われているのであって、「男性」の意味ではない。1920年にアメリカ合衆国憲法修正第19条が成立するまで、性別による投票権の制限を禁止する法律はなかったが、それ以前でもいくつかの州では女性が投票権をもっていた。マサチューセッツ州では独立戦争の前から女性も投票していた。しかし現在でも、すべての男性が、ジョンがアビゲイルに接したように行動しているわけではない。アビゲイルは手紙に「男性たちが本当に幸福になりたいと願っているのなら、不愉快な主人という呼び方は捨てて、やさしい響きで情愛のこもった友人という呼び方に変えるべきです」と書いていた。

024

ジョージ・ワシントンが
独立戦争の際に初めてスパイを雇う

[1777年2月4日]

国家としてのアメリカは1776年の独立宣言によってスタートした。しかしそれに続く独立戦争の勝敗はまったく予断を許さなかった。戦力でまさるイギリス軍との戦闘で形勢が逆転できたのは、総司令官ジョージ・ワシントンが主導したスパイ活動の成果だった。

独 立戦争の開戦直後はイギリス軍が圧倒的に優勢だった。イギリス軍はよく訓練された陸軍と強力な海軍が派遣されていた。その上スパイも使っていた。対するアメリカ軍はそれまで統一行動をとったことのない各植民地からの寄せ集め集団にすぎず、1777年の初めには植民地軍の敗北は決定的かと思われた。

ヨークタウンの戦闘に勝利したジョージ・ワシントン。彼の右にいる人物はラファイエット侯爵、左の人物は補佐官のアレクサンダー・ハミルトン。

植民地軍も情報戦略の重要性はわかっていたが、その分野の組織化はまだ進んでいなかった。紳士的態度が重んじられていた当時は、民間人を戦争の道具に使うことは恥ずべきことと考えられていたのだ。そこで、やがて大統領に就任するジョージ・ワシントンは、まずスパイ候補者を軍の中で募集した。その中のひとりだったネイサン・ヘイル大尉がイギリス軍に捕えられて処刑されて初めて、ワシントンは人目につきにくい民間人を使うことを考え始めた。

　ワシントンはある同僚を通じて紹介されたナサニエル・サケットという商人に、スパイ組織構築の仕事を任せた。サケットは暗号を使って秘密の通信をした経験があり、ニューヨーク委員会や陰謀の捜査と阻止を行う組織で働いた経験があった。驚くべきことに、ワシントンが230年以上前にサケットに書いた手紙が今も残っている。

　短い手紙だが、それこそが現代アメリカの機密情報収集組織の始まりなのだ。「君は敵の計画を早く正しく知ることに優れているとデュアー大佐から聞いた。そのための計画を立てる能力も高いとのことなので、私は君

ジョージ・ワシントンからナサニエル・サケットへの手紙

　君は敵の計画を早く正しく知ることに優れているとデュアー大佐から聞いた。そのための計画を立てる能力も高いとのことなので、次の本部指令を下すまで、私は君にこの組織の運営を任せたいと思う。

　この職務を遂行するのは容易でないことは理解できるので、アメリカのためということで毎月50ドルを君に払う。そして君が任務の遂行に必要だと判断して雇う人員に給料を支払う資金として私に請求するために500ドルを準備しておく。

モリスタウン作戦本部にて
1777年2月4日
G・ワシントン

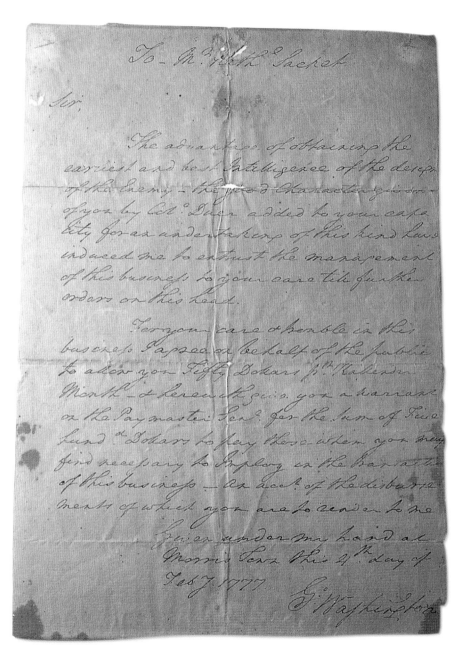

To Mr Nathl Sackett

Sir,

The advantages of obtaining the
earliest and best Intelligence of the designs
of the Enemy — the good Character given
of you by Colo Duer added to your capa-
bility for an undertaking of this kind have
induced me to entrust the management
of this business to your care till further
orders on this head.

For your care & trouble in this
business I agree on behalf of the public
to allow you Fifty Dollars pr Kalender
Month — & herewith give you a warrant
on the Paymaster Genl for the sum of Five
hundd Dollars to pay those when you may
find necessary to Imploy in the business
of this business — An acct of the disburse-
ments of which you are to render to me
                Given under my hand at
                Morris Town this 4th day of
                Feby 1777.
                                Go Washington

ワシントンがナサニエル・サケットに書いた手紙。

にこの組織の運営を任せたいと思う」とワシントンは書いた。

　イギリス軍とは違い、アメリカ軍にはその種の人員に給料を払う予算は組まれていなかった。しかしワシントンは裕福な大農園主であり、スパイ組織を発足させるだけの資金力をもっていた。「アメリカのためということで毎月50ドルを君に払う。そして君が任務の遂行に必要だと判断して雇う人員に給料を支払う資金として……500ドルを準備しておく」

　1か月後、サケットは最初の報告書を提出した。彼はすでに数人の部下を雇い、秘密を守ることを誓わせていた。だが残念なことに、サケットはスパイ組織のリーダーとしての実力には乏しかった。彼や部下たちがもたらす情報は遅すぎたり不正確だったりした数か月後、ワシントンはサケットを首にして、代わりにベンジャミン・トールマッジ少佐を採用した。

　トールマッジは前任者よりずっと優秀だった。彼が構築したカルパーリングと呼ばれるスパイ網は非常によくできた組織で、ワシントンもそのメンバーに誰がいるか知らされていなかった。その存在が公表されたのは1930年代になってからのことだ。カルパーリングによってイギリス軍の計画を事前に予想できるようになったアメリカ軍は断然有利になり、戦いの形勢を逆転させることができた。独立戦争の終結後、ワシントンはスパイ網の構築と運営にかかった経費として、彼が立て替えた1万7000ドルを請求した。議会はそれを有効に使われた金額だと認め、全額をワシントンに支払った。

025

トマス・ジェファーソンが甥に神の存在の真偽についても考察するようにと助言する

［1787年8月10日］

1787年にある人物が、これから大学生活を始める17歳の甥に助言する手紙を書いた。手紙を書いた叔父とはトマス・ジェファーソンで、当時はアメリカの駐フランス公使としてパリに住んでいた。その当時この手紙が公開されていたら、信心深い人々が住む国の大統領にジェファーソンが選ばれることはなかったかもしれない。

トマス・ジェファーソンが甥のピーター・カーに手紙を書いたのは、ピーターがトマスの恩師ジョージ・ワイス教授のもとで学ぶことになったからだった。ワイスは独立宣言の署名者のひとりであり、当時はヴァージニア州ウィリアムズバーグにあるウィリアムズ・アンド・メアリー大学の教授だった。

ジェファーソンは学識のある人物で、教育を重視しており、勉学を愛する自分の心を甥のピーターに伝えたいと思っていた。彼はピーターが選択しそうな科目ごとに広範な参考図書のリストを作って手紙に添え、さらに読まないほうがいい書籍のリストも付けて、たとえば近代史では、若い共和主義者が読むにはふさわしくないから「クラレンドン（イングランドの内戦を扱った『大反乱史 The History of Rebellion』の著者）は読まないほうがいい」のように書いてあった。

リストにはほかにも古代史、外国やアメリカの歴史、ホメロスからシェイクスピアまでの詩も含まれていた。古典的な学習項目を網羅しただけでなく、ジェファーソンは自然科学も勉強するよう勧めており、農学、解剖学、天文学、植物学、化学、数学、物理学の本も含まれていた。政治学と

法学についてはジョージ・ワイ
ス教授に選択を譲ったが、哲学
（ジェファーソンは倫理学 morality とい
う言葉を使っている）と宗教学に関
してはいくつかの大部の著作を
推薦している。

　また手紙そのものの中では、
いくつかの科目について彼の持
論を展開している。語学に関し
てはイタリア語よりむしろスペイ
ン語を学ぶよう的確なアドバ
イスをする中で「スペイン本国
および新大陸のスペイン植民地
とわれわれとの今後の関係を考
えれば、スペイン語を習得する

1800年にレンブラント・ピールが描いたトマス・
ジェファーソンの肖像画。

ことは非常に有益だ……君にスペイン語の辞書を送ろう」と書いている。

　彼は17歳のピーターに、旅行の誘惑に負けてはいけないとアドバイスし
て「旅は人をより賢くするが、より幸福でなくするものだ」と書いた。「旅
は人の視野を広げるが、人にふるさとの国への不満をいだかせる。これは
私の経験からわかったことだ」とパリからピーターに手紙を書いている彼
は、残念そうに付けくわえたのだった。

　手紙の半分は、ジェファーソンの倫理学（哲学）に関する見解に充てられ
ている。倫理学は「講義に出席することは時間の無駄だと思う」と彼は書
く。それは生来のものであり、実体験をつんだりリストにあげた本を読ん
だりすることで磨きあげるべきものだと言う。また宗教については、彼は
驚くほど大胆な発言をしている。「神の存在そのものについても、勇気を
もって疑いなさい。なぜなら、本当に神が存在するとしたら、その神は盲
目的な恐怖から生じた敬意よりも、理性から生まれた敬意のほうを好まし

トマス・ジェファーソンからピーター・カーへの手紙

親愛なるピーター

12月30日付と4月18日付の君からの手紙を受けとった。手紙をもらってとても嬉しい。それに大学のワイス教授からも手紙をもらっているが、先生は君に好意的で、目をかけていてくださるようなので私も嬉しく思っている。君はとても運がいいね。これは君の人生にとって大きなプラスになるに違いない。私自身にとってもそうなのだからね。ワイス先生が助言される順番にしたがって君に受講してほしいと思う科目を書きだしたものを同封する。君が読むといいと思う本もあげておいたが、もちろん先生の勧める本を優先してほしい……

イタリア語。イタリア語を学ぶと君がこれまでに学んだスペイン語、フランス語と混同してしまうことが心配だ。この三つの言語はどれもラテン語の方言から生まれたもので、話しているうちに混じってしまいがちなのだ。私は、会話でこの3つの言語を混同せずに使いわける人を見たことがない。イタリア語を学ぶのも楽しいだろうが、最近の世界情勢から見ればスペイン語のほうが重要になっているから、イタリア語はとりあえずやめておいたほうがいい。

スペイン語。これはしっかり勉強して使いこなせるようになりなさい。スペイン本国および新大陸のスペイン植民地とわれわれとの今後の関係を考えれば、スペイン語を習得することは非常に有益だ。新大陸の昔の歴史もスペイン語で書かれている。君にスペイン語の辞書を送ろう……

宗教。君の年齢なら、もうこの問題について考えるだけの理性を十分身につけているだろう。何よりもまず、目新しい意見、一風変わった見解に魅力を感じて飛びつくことはやめること。宗教以外のほかの科目に没頭しなさい。宗教はあまりにも重大な問題なので、ひとつ間違えると大変な結果をもたらす恐れがある。その一方で、心が弱い人間が無条件に従ってしまうような恐怖や盲目的な偏見とは、きっぱり縁を切らなければならない。しっかりとした理性を心に抱き、どんな事実もどんな意見もその理性に従って判断するのだ。神の存在そのものについても、勇気をもって疑いなさい。なぜなら、本当に神が存在するとしたら、その神は盲目的な恐怖から生じた敬意よりも、理性から生まれた敬意のほうを好ましく思われるはずだからだ。君は当然、まず自分の国の宗教について考えることになる。そのときはリウィウスやタキトゥス[ともにローマの歴史家]を読むように聖書を読みなさい。そうすればリウィウスやタキトゥスを読むときに君がするのと同じように、自然の理に反しない事実であれば、筆者の言葉を信じるだろう……

く思われるはずだからだ」と。

　タキトゥスのような古典を読むときと同じように、理性だけにたよって聖書を読むべきだとジェファーソンは語る。そして「聖書が語る事実が自然の理に反するようなら、より慎重に検証を深めなければならない」として、イエスは（信じられないことだが）「神によってつかわされて処女から生まれ……そして天に昇ったのか」それとも（もっと現実的に）「庶子として生まれた心やさしい人物が……人々を先導した罪でローマの法律にしたがって絞首刑に処せられたのか」自分でよく考えるよう勧め、疑問をもつ心のほうが盲目的な信仰よりずっと役に立つと語っていた。

　そしてジェファーソンは、心にしみるアドバイスで手紙を終える。「善良でありなさい。しっかり学びなさい。勤勉でありなさい……国のための貴重な人材に、友人にとっての大切な友人に、そして君自身が幸福になりなさい」。ピーターは叔父のアドバイスにしたがった。ヴァージニア州議会の議員を4期つとめた。自分の甥が設立に尽力したアルベマール・アカデミーがヴァージニア大学に発展したことは、ジェファーソンにとってさらに大きな喜びだったことだろう。

026
レクイエムの作曲に悪戦苦闘する
モーツァルトが妻に手紙を書く

[1791年10月14日]

ヴォルフガング・アマデウス・モーツァルトの人生——とその死——について私たちが
多くを知ることができたのは、彼が書いた膨大な量の手紙のおかげである。現存する
彼のいちばん古い手紙は13歳のときにガールフレンドに書いた手紙で、最後の手紙
は、健康の衰えた中でレクイエムの完成を急いでいたときに妻のコンスタンツェに宛て
て書いたものだった。

1791年7月にモーツァルトのもとを訪れてレクイエムの作曲を依頼し、
完成した権利をその人物に譲る代価も含めた金額を提示したという謎
の人物については、その直後からさまざまな陰謀説がささやかれてきた。
はたしてそれはモーツァルトのライバル、アントニオ・サリエリだったの
だろうか?

　モーツァルトは知らなかったが、現代の私たちは、それが音楽をこよな
く愛したオーストリアの貴族フランツ・フォン・ヴァルセック伯爵の使用
人だったことを知っている。ヴァルセック伯爵はニーダーエーステライヒ
州に所有する城に自分の楽団をかかえていた。彼自身も楽器を演奏した
が、作曲は得意ではなかったので、それまでも作曲家に依頼してできた曲
を自分のものとする条件で買いとっていた。

　伯爵の奥方が死去したとき、彼は毎年の妻の命日に演奏するためのレク
イエム——死者のためのミサ曲——の制作を依頼したのだ。彼の提示した
金額はかなりのものだったので、つねに金策に困っていた上に妻のコンス
タンツェが子どもを身ごもっていたこともあり、モーツァルトは喜んで依

頼を受けた。

　息子フランツが7月末に産まれ、その時点ですでに彼はこなしきれないほどの仕事をかかえていた。9月に行われる新皇帝レオポルド2世の戴冠式で演奏するための曲をいくつか——まだ完成していない新作オペラ「皇帝ティートの慈悲」も含めて——書かなければならなかった。ザルツブルクから戴冠式の行われるプラハに向かう馬車の中でもモーツァルトは仕事を続けていた。それと並行してクラリネット協奏曲の仕上げをし、

コンスタンツェ・モーツァルト。

別の新しいオペラ「魔笛」の作曲もしたのだ。

　彼の負担はもう限界を超えていた。彼はうつ状態に陥り、誰かが彼に毒を盛ったせいで腎臓の機能不全が起こったのだと思いこんだ。妻のコンスタンツェはバーデンの温泉保養施設に行っていたので、彼をなぐさめる役には立たなかった。そんな妻にモーツァルトはほとんど毎日手紙を書いていた。10月14日付のものは最後の手紙である。

　それは冗舌で陽気な近況報告の手紙で、報告の中心は前夜ウィーンでオペラ「魔笛」の公演に行ったことだった。彼は自分の母親と息子カール、そしてオペラ歌手カテリーナ・カヴァリエリと作曲家サリエリをその公演に招いていた。モーツァルトはとくに謙遜することもなく、みんな公演が気に入ったようでとくに「サリエリはじつに熱心に見聴きして、序曲から最後の合唱まで彼が『ブラヴォー！』とか『ベッロ！』とか叫ばない曲は1曲もなかった」と書いている。

モーツァルトが妻コンスタンツェに書いた最後の手紙

愛する妻へ

昨日つまり13日の木曜日、ホーファーがカールの所へ連れて行ってくれた。3人で昼食をとり、一緒にウィーンに帰った。そして6時に馬車でサリエリとマダム・カヴァリエリを迎えにいき、私のボックス席に案内した。それから大急ぎでホーファーの所に残したままだった母とカールを迎えにいった。みんな私の音楽だけでなく歌詞やストーリーも全部とても気に入ってくれたよ。これは最高のオペラだ、盛大な祝祭の場で王侯貴族の臨席する前で演じるにふさわしい作品だ、こんな素晴らしい公演は見たことがないから何度でも見たい、などと言っていた。サリエリはじつに熱心に見聴きして、序曲から最後の合唱まで彼が「ブラヴォー！」とか「ベッロ！」とか叫ばない曲は1曲もなかった。そうは言っても、サリエリたちは私の親切に完全に満足していたわけでもなさそうだった。本当は前日に来るつもりだったのだ。しかしそれだと4時までに席につく必要があった。結局のところ、彼らは私のボックス席で快適にオペラを楽しむことができたわけだ。終演後は彼らを家まで送り、私はそれからホーファーの所でカールと一緒に夕食をとった。それからカールと家に帰り、ふたりともぐっすり眠った。カールは私がオペラに連れていってやったことをとても喜んでいた。それにとても元気そうだ。今いる所は、彼の健康にとっては最適なのだろう。だがそれ以外の点は何ともまったくひどいものだ！　彼らにできるのは善良な農夫を世の中に送りだすことだけだ。このままでは駄目だ。カールの学校（あれが学校と言えるのか！）は月曜日まで始まらないから、日曜日の昼食後までカールを私の所に置いておくと連絡してある。学校には君がカールに会いたがるからだと言っておいた。だから明日の土曜日、私はカールを君の所へつれていく。そのまま君の所にいさせることもできるが、昼食がすんだら私がヒーガーの所にもどすほうがいいだろうか。よく考えておいてほしい。まだ1か月しかたっていないから、彼はそれほど悪影響を受けてはいない。そのあいだに、ピアリスト修道会と相談して——今それを検討しているのだが——何かいい解決策が見つかるかもしれない。全体的に見て、カールは前より悪くなってはいない。しかし少しも良くなっていないことも確かだ。前と変わらず行儀が悪く、しゃべりだしたら止まらない、そればかりか前より勉強する気をなくしている。ペルヒトルッドルフの学校でやっていることと言えば、午前中の5時間と午後の5時間を庭で走りまわって過ごすことだけ（これは彼の口からきいたこと）だ。要するにあそこでは、子どもたちは食べて飲んで眠って走りまわっているだけなのだ。今、私の所にはロイトゲーブとホーファーがいる。ロイトゲーブは私と一緒に夕食をとる予定だ。親しい友人のプリムスにビュルガーシュピタールから何か食べ物を持ってくるよう頼んである。彼もいい友人だ。一度だけ、私がホーファーの家に泊まったとき、ホーファーと彼がいつまでも寝ていて困ったことはあったが、私にとっては自分の家がいちばんだ。自分の好きなように時間が使えるからね。あのときは非常に不愉快だった。昨日はペルヒトルッドルフへ行くのにまる1日使ってしまったから、君に手紙が

書けなかった。しかし君が2日間も手紙をくれないとは許せないな。今日は君からの手紙が
届くといいのだが。明日は直接会って君と話し、思いきり抱きしめたいと思っている。
では今日はこのへんで。永遠に君のものであるモーツァルトより。
君の妹ゾフィーに1000回のキスを送る。いい夜を過ごしなさい。おやすみ。

　同じ手紙で彼は、カールが入っているウィーン南東のペルヒトルツドル
フ村の学校を批判して——田舎の空気はカールの健康のためにはいいが
「彼らにできるのは善良な農夫を世の中に送りだすことだけだ」から、カー
ルに学校を1か月休ませてコンスタンツェと一緒に旅行させてはどうかと
提案している。そして「明日は直接会って君と話し、思いきり抱きしめた
いと思っている」と書く。

　モーツァルトは依頼されたレクイエムを完成させることはできなかっ
た。健康の衰えを感じた彼は「私はこのレクイエムを自分のために書いて
いるのだ」と宣言した。ベッドから出られなくなった彼は訪れる友人たち
になぐさめられ、時には一緒にレクイエムの一部を歌うこともあった。
12月4日の晩には彼の意識はもうろうとしていたが、弟子のフランツ・ク
サーヴァー・ジュースマイヤーにレクイエムの打楽器パートを口頭で指示
する声が聞こえていた。モーツァルトはその翌朝早くに死去した。コンス
タンツェは約束どおり代価の支払いを受けるため、ジュースマイヤーにレ
クイエムを完成させるよう依頼した。

027

マリア・レイノルズが
アレクサンダー・ハミルトンに
夫が秘密を知ったと告げる

アレクサンダー・ハミルトンはアメリカ合衆国の「建国の父」のひとりだ。大統領ジョージ・ワシントンの後ろ盾もあって、彼は合衆国の経済運営の基礎を築き、金融システムを作り、国際貿易の交易条件を導入した。彼自身が大統領になってもおかしくなかったが、恐喝と性的スキャンダルのせいで失脚した。

　レクサンダー・ハミルトンと夫のいる愛人マリア・レイノルズとの不倫は6か月続いていた。1791年の夏、マリアがハミルトンに近づき、夫ジェームズ・レイノルズに虐待されたうえに捨てられてしまったと泣きついて、経済的援助を求めた。しかしハミルトンは金銭を与えるためにマリアのもとを訪れたとき、彼女の性的誘惑に負けてしまう。彼はのちに「いかにも金銭以外のなぐさめを求めていることが明らかに思われたのだ」と語っている。

　その年が終わるころ、ハミルトンはマリアとの関係を終わらせようとした。そのころにはジェームズとマリアの夫婦関係は修復されていたのだが、マリアはハミルトンとの関係を続けたがった。その後に起こったことを見れば、そもそもジェームズは最初からことの成りゆきを承知しており、ひょっとしたら夫婦が共謀していたのかもしれないとの指摘もある。

　1791年12月、ハミルトンがマリア・レイノルズから1通の手紙を受けとったことで、このスキャンダルが世間に知られることになる。全部ばれてしまった、と彼女の誤字だらけの、たどたどしい手紙は切迫した口調で伝えていた。「夫はけさあなたに手紙を書きました。あなたが受けとった

かどうかわかりませんが、夫はあなたが返事をしなければ、それともあなたに会うか話をするかしなければ、ミセス・ハミルトンに手紙を書くと言いました」

　ジェームズ・レイノルズとハミルトンとのあいだで怒りのこもった手紙のやりとりが何度かあって、当時の風習としてはここでレイノルズがピストルによる決闘を申し出るところだったが、そうはしなかった。その代わりに財務長官だったハミルトンを恐喝し、1000ドルもの大金を要求したのだ。しかもそれだけでは収まらず、1792年1月にレイノルズはハミルトンに「友人として」また家に来てくれ、つまり妻との関係を再開しろとけしかける手紙を送った。夫に強要されてのことかどうかは定かでないが、マリアはその後も何回かハミルトンと関係をもった。そしてそのたびにレイ

アレクサンダー・ハミルトン。彼の友人でもあった画家ジョン・トランブルが1792年に描いたもの。

I have told you, and I told you truly
that I love you too much — You engross my
thoughts too intirely to allow me to think of
any thing else — You not only employ my
mind all day; but you intrude upon my
Sleep — I meet you in every dream — and
when I wake I cannot close my eyes again
for ruminating on your sweetness — Tis
a pretty story indeed that I am to be thus
monopolized, by a little nut-brown maid
like you — and from a Statesman and
a Soldier metamorphosed into a
puny lover — I believe in my soul you

アレクサンダー・ハミルトンが長年苦しめた妻エリザベス・スカイラー・ハミルトンに書いた愛情あふれる手紙の一例。ハミルトンが政敵アーロン・バーとの決闘で死去したあと、エリザベスは残りの人生を夫の名誉を回復するための活動に費やした。

マリア・レイノルズからアレクサンダー・ハミルトンへの手紙

あなた様へ

私がいま困っている問題についてお伝えする時間があまりありませんが、夫はけさあなたに手紙を書きました。あなたが受けとったかどうかわかりませんが、夫はあなたが返事をしなければ、それともあなたに会うか話をするかしなければ、ミセス・ハミルトンに手紙を書くと言いました。今、夫はどこかへ行って私はひとりです。あなたはちょっとだけ私のところに来て私の話をきいてください。あなたはどうするのがいいかわかるでしょうから。おお神様、私は私のことよりあなたが心配です。こんなにあなたが困るなら、私は生まれなければよかったと思います。夫に手紙を書かないで、1行も書かないでください。すぐにここへ来てください。何か送って夫の手に何か持たせたりしないでください。

マリアより

ノルズに恐喝され、一回につき30ドルから50ドルを払った。1792年6月に
ジェームズの気が変わって終わりにしようと言いだすまでそれが続いたの
だった。

　それまでのあいだ、ハミルトンはレイノルズ夫妻とのこの関係をなんと
か隠し続けていた。しかしその年の終わり近くにジェームズ・レイノルズ
が別の詐欺罪——独立戦争の退役軍人に支払われる繰り越し給与の請求書
類を捏造した罪——で投獄されてしまう。レイノルズ夫妻はどちらもハミ
ルトンに手紙を書いて助けを求め、拒絶されるとハミルトンを自分たちの
罪の道連れにしようとした。

　財務長官であるハミルトンが金銭的な犯罪にかかわったとなれば身の破
滅だ。ハミルトンはレイノルズ夫妻との関係をすべて告白するしかなかっ
た。そして自分の抗弁の証拠として夫妻からの手紙をすべて提出した。不
幸なことにそれらの手紙の内容が彼の政敵であるトマス・ジェファーソン
に知られてしまい、ジェファーソンはハミルトンを失脚させるためにそれ
を利用した。ワシントンは盟友であるハミルトンをなんとか守ろうとした
が、アメリカ合衆国初のセックス・スキャンダルはさらに上の地位をねら
っていたハミルトンの野望をくだく結果になったのである。

028

トマス・ジェファーソンが
フランス人植物学者に北西部の
探検を依頼する

[1793年1月23日]

トマス・ジェファーソンの合衆国構想は独立当初の13州にとどまるものではなかった。彼は合衆国成立当初から、太平洋岸に至るルート発見のための探検には資金援助を惜しまなかった。そして彼は、フランスの植物学者アンドレ・ミショーにその実現の可能性を見出した。

ア ンドレ・ミショーは新世界と旧世界のあいだで身動きがとれなくなってしまった人物といえる。彼はまずフランス国王ルイ16世に命令されて、新大陸の植物を調査してフランスの農業に役立ちそうなものがないか調査するために植民地に派遣された。しかし彼が新世界にいるときに旧世界ではフランス革命が勃発し、ルイ16世はギロチンにかけられてしまった。フランスに帰って仕事はあるのだろうか、首を切られることはないのだろうかと彼は不安になる。

　ミショーは北米大陸の多様な生物に魅力を感じていた。彼は6万本もの樹木とその他の植物や動物をフランスに送ったとされているほどだ。反対に彼がヨーロッパからアメリカに持ちこんだものもあった。しかしフランス革命のせいで給料の支払いが止まってしまったので、彼は何か別の仕事を見つける必要に迫られていた。

　そこでミショーはアメリカ哲学協会に目をつける。これは1743年にフィラデルフィアで設立され、現在も存続している組織で、人類の科学的知識を拡大することを目的としている。トマス・ジェファーソンもそのメンバーのひとりだったが、彼が提案した探検が失敗に終わったことをミ

ショーは知っていた。そこで彼は、たまっている借金を返すだけの報酬を
先払いしてもらえれば、自分が同じような探検をして成功させるとジェ
ファーソンに申し出た。

　ジェファーソンがその計画に関する条件を書いて送った手紙は長らく紛

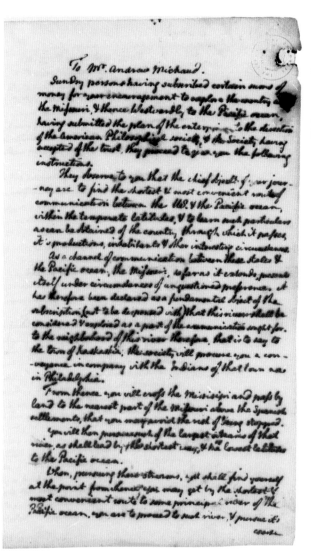

フランス国王からアメリカ
に派遣されていた植物学者
アンドレ・ミショー（André
Michaux）は、革命後のフラ
ンスの不安定な政情を心配
してか英語風の名前アンド
ルー・ミショー（Andrew
Michaud）を使うこともあっ
たようだ。

ジェファーソンからアンドレ・ミショーへの手紙

アメリカ哲学協会の指示により、ミズーリ川を越えて西進し太平洋にいたるルートをさぐるための探検計画を提出した君のために、多くの人が資金援助をしてくれている。協会は君の計画を承認し、さらに以下の指示をする。

君の探検の最大の目的は、合衆国から太平洋岸まで温暖な地域をとおって到達できる最短でもっとも容易に通行できるルートを発見すること、そしてそのルート上にある合衆国にとって有益な産物や住人その他の周辺環境を調査することだ。太平洋岸に向かうにあたり、ミズーリ川が流れている範囲では水路の利用がもっとも便利だと思われる。したがって資金援助をする最大の目的（必須目的）は、求めるルートの一部としてミズーリ川をどのように使うか調査することである。そこでその川の近く、つまりカスカスキアの町までは、現在フィラデルフィアにいるカスカスキア出身の原住民が案内するよう協会が手配しておく。

そこから先はミシシッピ川をわたってミズーリ川にできるだけ近い陸路で、足止めされる危険を避けてスペイン植民地の北を進めばいい。そしてミズーリ川の本流に沿って南進すれば太平洋につくだろう。そのようにして進むうちに、太平洋にそそぐ主要な川のより短く便利なルートに行き当たるかもしれない。そうしたらその川をたどればいい。最新の地図によればオレゴンという名前の川がしばらくミズーリ川と合流して、ヌートカ湾からそれほど南でない地点で太平洋にそそぐらしい。しかし協会はそれらの地図はあまり信頼できないと考えているので、君もこの指示に必ずしも従う必要はない。

失したものと思われていたが、1979年に哲学協会の文書保管庫で発見された。そこには探検についてだけでなく、彼が独立宣言の起草に参加したこの新しい国の将来的な構想についても書かれていた。

　手紙はミショーに、ミシシッピ川とミズーリ川に沿って進み、南でそのふたつの水路が交わる地点と、太平洋にそそぐ地点を見つけるよう指示している。そしてそこでヨーロッパ人探検隊と落ちあい、報告書を送ってからフィラデルフィアにもどれということだった。そして「［協会のメンバーに］旅で見たすべてについて報告し、彼らの質問に答えるように」と手紙にはあったが、ミショーが自分の発見したことを公表する権利は維持されていた。

科学的なことについて彼がジェファーソンから受けた指示は非常に広範なもので、有益と思われる動物、植物、鉱物資源についてはその位置を記録し、現地の住人に関しても人類学的な記録を残すようにとのことだった。ジェファーソンは科学的な内容にはあまり踏み込んだ指示をしないよう気を配ってはいたが、マンモスとラマについてだけは「それらが……どれほど遠い北からやって来たのか」についてはしっかり調べてきてほしいと書いていた。

　探検に出る直前、ミショーは革命後のフランス政権から、国王が提示したのと同じ資格で彼を雇うという連絡を受けた。彼はフランス共和国からの信用証明を得たい一心で、フランスからアメリカに赴任してきた新しい大使による旧フランス植民地をスペインからとりもどす計画に関与した。しかし大使はフランスに召喚され、旧植民地ルイジアナをフランスがとりもどす計画は放棄された。裏切り者となったミショーは、ミシシッピ川より西を探検することなくフランスに帰った。

　フランスは1800年にルイジアナをとりもどし、ジェファーソンの工作によりアメリカ合衆国が1803年にそれを買いとった。1804年、大統領職にあったジェファーソンは軍人のメリウェザー・ルイスとウィリアム・クラークが指揮する精鋭ぞろいの「発見隊」を編成し、それまで果たせなかった探検をついに実現させた。

029

マラーを浴室で暗殺した
シャルロット・コルデーは、共和国の
将来を悲観する手紙を書く

［1793年7月16日］

**フランス革命の熱狂はあっという間に恐怖政治にとって代わられた。シャルロット・コル
デーはフランス革命のそもそもの理念である自由・平等・博愛の精神をとりもどすため
に行動する決意をした。**

大まかに言えば、1789年のフランス革命を主導した国民議会はふた
つの会派から成っていた。革命後の政府で実権をにぎったのはマク
シミリアン・ロベスピエールが率いる急進的なジャコバン派だった。その
あまりにも過激な政策に反対した
のが、より穏健なジロンド派であ
る。

　ジロンド派は過激に走りやすい
パリよりも地方のブルジョアジー
に支持者が多かった。シャルロッ
ト・コルデーはパリの北西に位置
するノルマンディーの村に住む女
性で、ジロンド派の主張を支持し
ていた。1792年9月、彼女はジャ
コバン派の過激派ジャン＝ポー
ル・マラーがパリに収監されてい
た約1500名の囚人の処刑を命じ
たと聞いて激怒した。しかもほと

「マラーの暗殺」。ポール＝ジャック＝エメ・ボー
ドリー。1860年。

んとは政治犯ではなく、単に国内外の反革命分子が彼らを味方につけるために接近することを恐れたからに過ぎなかった。

　パリ以外の約70の都市や町でも殺戮は続き、1793年には政権内のジロンド派21人が粛清の名目でギロチンにかけられた。コルデーは、のちに公判で語ったように「マラーがフランスを間違った方向に進めている……10万人の命を守るためにはひとりを殺さなければならない」と決意した。そして1793年7月13日、彼女はジロンド派の中心人物のリストを渡すという口実でマラーの家を訪ね、浴室で薬湯に入っていたマラーをそのために購入した刃わたり15センチの包丁で刺した。この場面は、その年にフランスの画家ジャック＝ルイ・ダヴィッドが描いた絵画によって後世に残ること

シャルロット・コルデーからシャルル・バルバルーへの手紙

パリの共和主義者たちには、その命に大した価値もない役立たずの女が、どうして国を救うために冷静な心で命をささげられるのか理解できません。

私はその場で殺されるものと思っていました。でも驚くほど勇敢な人々が、私のしたことに当然ながら怒り狂っている人々から私を救いました。私の心は穏やかでしたから、嘆き悲しむ女性たちの声を聞くのは苦痛でした。でも国を救う人間は自分にふりかかる結果など気にかけないものです。

早く平和な世の中になってほしいものです。これはそのために必要な序章でした。この2日間、私は穏やかな心で過ごしています。この国が幸福になれば、私は本望です。自己犠牲というのは苦痛より大きな喜びを与えるものなのです。

私を失ったことでもう十分苦しんでいるはずの父を、彼らはきっと責め立てるのでしょうね。この最後の手紙でわがままを言わせてもらえるなら、父には私は内戦を恐れてイギリスへ行くことにしたのだと思わせておいて、正体を隠したまま人前でマラーを殺してその場で自殺し、パリの人々にはどうしても私の正体を突きとめられないようにできればよかったと思います。

私の親類縁者や友人たちが困るようなことがあったら、どうか皆さんが——あなたとあなたのお仲間が——手を貸してやってください。大切なお友だちの皆さんには何も言いません。でも皆さんの思い出は、私の心の中にいつまでもしまっておきます。

私が憎しみをいだいた人間は今までにひとりだけでした。そしてその憎しみがどれほど大きいものだったかは、すでに示しました。でもその憎しみよりもずっと大きな愛を私が抱いている人たちはたくさんいます。生き生きとした想像力と感じやすい心をもつ人間は、波乱にとんだ人生を送るものなのです。私のために嘆く人がいたら、どうかそう考えてください。そしてどうか、私は勇者たちが眠る約束の地エリュシオンでブルトゥスなどの古代の英雄とともに穏やかに暮らしていると思って喜んでください。

現代人に目を向ければ、彼らの中には国のために命を捨てる覚悟のある本物の愛国者はほとんどいません。ほとんどが自分のことだけを考えています。共和国を築くのがこんな人間たちだと思うと悲しいです……

になった。

コルデーはその場で逮捕された。監獄で裁判を待つあいだに、彼女は2通の有名な手紙を書く。1通は父親宛てで「あなたのお許しを得ることなく私の命を終えることをお許しください。私は多くの罪もない人々の復讐を果たし、それ以上の犠牲者が出ることを防いだのです。誤った熱狂から

人々がさめたとき、人々はひとりの暴君がこの世から消えたことを喜ぶことでしょう」と書いてあった。この手紙は公判で読みあげられ、殺人が計画的だったことの証拠とされた。

　もう1通は彼女がノルマンディーで会ったことのあるジロンド派の指導者シャルル・バルバルー宛てだった。彼女は収監中の自分にプライバシーがない不満をつづり「彼らの中には国のために命を捨てる覚悟のある本物の愛国者はほとんどいません。ほとんどが自分のことだけを考えています。共和国を築くのがこんな人間たちだと思うと悲しいです」と書いていた。彼女が公判で「マラーを支持するのはパリの人間だけです。それ以外の土地では彼は怪物だと思われています」と述べた見解は、現代も続くフランス政治のパリ中心の在り方を鋭く指摘している。

　彼女の行為はすぐには望んだような効果を得られなかった。その後もフランス全土で約1万7000人のジロンド派が殺されている。これは恐怖政治の幕あけだった。革命政府の意に沿わない行為や信念はすべて犯罪と見なされ、その罪を犯した人物は地位や財産を没収されたり処刑されたりするスターリン主義の芽ばえを、ここに見ることができる。コルデーはギロチンにかけられた。バルバルーは逃走し拳銃自殺を図ったが、死にきれないままギロチンにかけられた。

030

戦闘の前夜、ネルソン提督は
艦隊にメッセージを送る

［1805年10月21日］

19世紀にメッセージのやり取りをするには、とくに戦闘の前夜では、必ずしもペンと紙を使うのが最良の手段とは限らなかった。1805年、イギリス海軍中将ホレーショ・ネルソンは海軍のペンと紙に相当する信号旗で、歴史に残るメッセージを発信した。

トラファルガーという地名はかつてスペインを支配していたアラブ人が残した名前の名残りで、トラファルガー岬は大西洋に面するカディスの南にある。そこから8キロ西の海上で、ネルソン提督が率いるイギリス艦隊は、フランス＝スペイン連合艦隊とナポレオン戦争における最大の海戦を行った。

ナポレオンのイギリス侵攻を防ぐためにフランスの港湾を封鎖するイギリス軍の作戦は成功していた。しかしフランス海軍の指揮官ヴィルヌーヴ中将はフランスの地中海岸にある港トゥーロンの封鎖を破り、カリブ海にいたフランス艦船と合流して、カディスまでやってきた。

今やカディスにはフランス＝スペイン連合軍の大艦隊が集結している。しかしそこで物資供給が乏しくなり、ヴィルヌーヴは艦隊をナポリへ移動させるよう指令された。ネルソンはイギリス海軍の戦闘能力に自信をもっていたので、そのときが敵艦隊を戦闘に引きこむ絶好のチャンスと見た。一方のヴィルヌーヴは、正面からの対決ならフランス＝スペイン連合軍のほうがイギリス海軍より兵力が上だと確信していた。フランス艦隊と行動を共にしているスペイン艦隊には、世界の海をまたにかけて航行している当時としては最大級の艦船も含まれていたのだ。

ターナーの「トラファルガーの海戦」に描かれたネルソン提督の旗艦ヴィクトリー号。この絵画はグリニッジの国立海事博物館に所蔵されている。

　当時の海戦は互いに艦船を一列に並べて進み、すれ違いざまに敵艦の舷側を攻撃するのが慣行だった。この戦法をとれば味方どうしの連絡がとりやすく、敗れた側が撤退することも比較的容易にできる。しかしネルソンは慣行とは全く異なる作戦をたてていた。彼は敵艦隊に側面を見せるのでなく、直角に敵の側面に向かう、それも1列でなく2列で敵側面に突っこんで敵艦隊を3分割してしまおうと考えたのだ。そうすればその後の戦いが有利になるのは明らかである。

　ネルソンは信号旗の暗号を使って2列になってフランス艦隊に近づく彼の艦隊に指令を回していた。そして「交戦を開始せよ」という最後の指令を伝える時がくる。しかし彼はその指令を下す前に、もっと心のこもったメッセージを伝えたいと思った。

　彼は配下の将兵のだれもが全力を尽くすと信じていた。そして信号旗を

揚げる士官に「イギリスは各員がその義務を尽くすことを信じている」というメッセージを送るよう命じた。命令を受けたジョン・バスコ中尉は「信じている」に相当する旗がないので、その信号を組み立てるには時間がかかると指摘した。「閣下が『信じている』のかわりに『期待する』を使うことを許可してくだされば、すぐに信号を送ることができます。『期待する』は単語として旗にありますが『信じている』だと1文字1文字揚げなければなりません」。結果としてそのメッセージは——手紙というよりは追伸に近い——信頼の表明という命令に近くなってしまったが、ネルソンはしかたなく同意した。

　そして「イギリスは各員がその義務を尽くすことを期待している」というメッセージを伝える旗が掲げられた。J・M・W・ターナーがこの海戦のようすを描いた絵画では、ネルソンの旗艦ヴィクトリー号にかかげられた「通信終わり end of message」の旗を見ることができる。その後に起きたことはだれもが知っているとおりである。トラファルガーの海戦はイギリス海軍の大勝利だった。フランス＝スペイン連合艦隊の33隻の艦船のうち、ちょうど3分の2にあたる22隻が沈没したが、イギリス海軍の29隻は1隻も沈まなかった。しかしこの海戦も終わりに近づいたとき、フランス軍の狙撃兵が撃ったマスケット銃の弾丸がネルソン提督に当たる。ネルソンは意表をついた彼の作戦が成功し、将兵を奮い立たせる信号もその勝利に貢献したと確信しながら戦死をとげたのである。

ナイルの海戦に勝利したネルソン提督は、トルコの皇帝からダイアモンドをちりばめた羽毛のついた羽飾りを贈られた。13本の羽毛は海戦で沈んだり捕えられたりしたフランス艦船の数を表している。

031

ナポレオンはアレクサンドル1世に
フランスとロシアは戦争状態に
あるのだと告げる

［1812年7月1日］

1807年、フランス皇帝とロシア皇帝が仲よく抱きあう姿を描いた記念メダルが作られた。その5年後、ふたりは激しく対立していた。ロシアの国境を越えて侵略の脅威を与え始めたナポレオンは、ロシア皇帝のせいでそうなったのだと主張する手紙を書いた。

ナポレオンは1807年にフリートラントの戦いに勝利したあと、ティルジットでロシア帝国およびプロイセン王国と和平条約を結んで両国との戦争を終結させた。この条約によってプロイセン王国領の半分（ナポレオンが建てたワルシャワ公国もふくむ）はフランスとロシアの衛星国とされた。プロイセンが失ったものは大きかったが、ナポレオンはこの条約により中央ヨーロッパの覇権をにぎり、ロシアとフランスはナポレオンが進めているイギリス侵攻で同盟することになった。

1809年、相変わらずフランス帝国の領土拡大を図っていたナポレオンはオーストリアとシェーンブルンの和約を結び、オーストリア領の一部をワルシャワ公国に割譲させた。これによってワルシャワ公国はロシアと長い国境線で接することになり、ロシア皇帝はフランス軍侵入の脅威を覚え始めた。そこでアレクサンドル1世は、交渉によりティルジット条約によってフランス領とされた領土の回復を図る。ナポレオンも譲歩の姿勢を示して、すでに1808年に若干の領土をロシアに返還していた。しかしロシア側はフランスの支配下にあるワルシャワやダンツィヒなどいくつかの都市を武力によって奪還しようとした。

国境地帯の緊張が高まる中、ナポレオンはサンクトペテルブルクに宛て

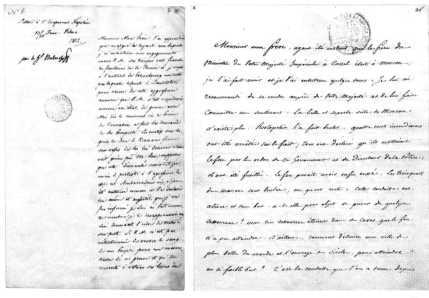

[左]アレクサンドル1世がナポレオンに宛てた1812年6月中旬の日付のある手紙。実際には68万人を擁するフランス側の大軍をやしなうために巨大な供給網を整備するというのは、ナポレオンに撤退の意志がなかったことを意味していた。[右]ナポレオンがロシア皇帝に書いた負けず嫌いの彼らしい手紙。モスクワに着いたナポレオンは偉大な勝者として町に入ることはできず、モスクワ総督ロストプチンが放った火による大火災に迎えられた。

て和平協定の提案を送っていた。しかし返答がないまま1812年6月24日に、その地に駐留するロシア軍の約3倍にあたる50万近い兵力を率いてネマン川をわたり、ロシア領に進軍した。4日後、彼はヴィルナ——現在のリトアニアの首都ヴィルニュス——に入ったところでロシア軍のアレクサンドル・バラショフ将軍から、フランス軍がロシア領内にいる限りいかなる交渉にも応じない、との皇帝からの伝言を受けとった。

　この伝言に対し、ナポレオンは同盟国の皇帝アレクサンドルに長い手紙を書いた。それはあくまでもフランス側の立場から見て自分の行動を正当化するもので「ネマン川をわたりながら、私は人々を戦争の災厄から救うためにできることはすべてやったのだと自分に言いきかせていました」と書くことで、自分はむしろ被害者であるかのように見せかけていた。そし

アレクサンドル1世からナポレオンへの手紙

兄弟よ、私は昨日、私があなたに約束した義務を誠実に守っているにもかかわらず、フランスの軍隊がロシアの国境を越えたと知った。そしてたった今、サンクトペテルブルクから、クラーキン公がパスポートを要求したまさにその時に、ローリストン伯がこの攻撃の理由をあげ、フランスはロシアと戦争状態にあると宣言したとの連絡が届いた。バッサーノ公がクラーキン公へのパスポート発行を拒否した理由は、今回の攻撃の口実にはなり得ない。事実、本人が言っているとおり、ロシア帝国の駐フランス大使クラーキン公はこのような命令を一度も受けたことはない……私はこの行為を絶対認めないし、彼には任地にとどまるよう命じた。わが国の国民に血を流させるような行為があなたの本意でなく、何らかの誤解によるものなら、そしてロシア領内から軍を撤退させることに同意するということなら、今回のことは問題にせず、われわれの和平条約はまだ有効だということにしよう。そうでないなら、私はあなたを敵と見なさざるを得ず、あなたのこの行動の責任はいっさい私にはないと理解する。人々が戦争の災厄から救えるかどうかはあなたの返答にかかっている。

ナポレオンからアレクサンドル1世へのモスクワの火事に関する手紙

兄弟よ……美しく誇り高いモスクワの町はもうありません。ロストプチンが火を放ったのです……私があなたの国と戦争を始めたのは怒りからではありません。最近の戦闘の前にでも後にでも、あなたから1通でも手紙がくれば私は進軍を止めるつもりでした。私は本当にあなたより先にモスクワに入るつもりはありませんでした。もし過去に見せてくださったご好意が今もあなたにあるのなら、この手紙をこころよく受けとってくれるでしょう。さもなくば、私がモスクワで今起こっていることをあなたにお伝えしているだけでも、ありがたいと思ってください。それではこの辺でペンを置きます。神があなたをお守りくださるよう祈っています……

て自分は和平のためにどれほど努力したか、アレクサンドルがどれほど戦争を招くような行動をしてきたかを列挙していた。たとえば「あなたは軍隊の武装を強化した……たしかに私もしましたが、それはあなたより6か月も後のことでした……私は機会あるたびに私の意図を説明しようとしてきた……しかしあなたは14か月のあいだあなたの行為の説明を拒み続けて

いました……」という具合である。

　ナポレオンはその手紙の最後をきっぱりと「だから私たちは今、戦争を
しているのです。もはや神といえども起きたことをもとにもどすことはで
きません」としめくくったが、それでも「あなたが敵意を示すことを止めた
いと望むなら、私もそれに応じるつもりです」と付けくわえることは忘れ
なかった。

　自分の領内にあって断固として国を守ろうという決意をもって戦うアレ
クサンドル1世に、敵意をおさめるつもりはなかった。フランスから遠く
離れたロシア領内で戦うにしてはナポレオン軍の装備は貧弱で、大軍をや
しなうための食糧の供給路も十分確保されていなかった。ヴィルニュスに
侵攻した時点ですでに約1万頭の馬を失い、飢えと病気で多くの兵が命を
落としていた。フランスの大軍からの脱走兵は遠い異国で途方にくれ、自
暴自棄になって無法者の集団と化していた。

　ナポレオンはモスクワに入ったが、代償として失った人命や装備はあま
りにも大きかった。冬のロシアの過酷な寒さの中で撤退した惨めさはナポ
レオンのプライドを傷つけ、彼自身にとってもフランス軍にとっても大き
な打撃となった。

032

キャプテン・スウィングが
脱穀機は労働者の仕事を
奪っているという脅迫状を送る

［1830年］

1830年、イングランド南部一帯の農家に、正体不明のキャプテン・スウィングという人物から、収穫した穀物や家屋敷に火をつけるぞと脅す手書きの脅迫状が届き始めた。これほど広い範囲の相手を脅迫したキャプテン・スウィングとは何者だったのだろう？

機械の発達に反対する理由のひとつとして古くから言われていることに、機械が人間の仕事を奪うという意見がある。産業革命が世界中で社会経済と労働慣行を一変させたことで、工場の機械化に反対する声が高まった。初期のこうした動きの中でよく知られているのがラッダイト運動である。これは機械化が労働者の仕事を奪うだけでなく、労働者に単純労働だけを押しつけることも問題にしていた。イングランド中部に広まった新型の織機を破壊する運動は1816年、政治と軍が介入するまで収まらなかった。

　1830年には、ケントで農場に脱穀機が導入されることに反対する運動が起こった。当時は失業者が増えていて、脱穀機の導入は農場に雇われて働く最貧層がやっとありついた仕事まで奪うおそれがあったのだ。脱穀とは収穫した穀物の実を穂から離すことで、それまでは労働者が殻竿でたたいて行ってきた。この仕事は貧しい農村労働者にとって秋から冬にかけての貴重な収入源で、18世紀後半には農場労働者の4分の1はこの仕事をしていた。畑の周囲に刈りとった穂のついた麦が山積みにされていたが、万が一火をつけられたら簡単に燃えてしまうおそれがあった。

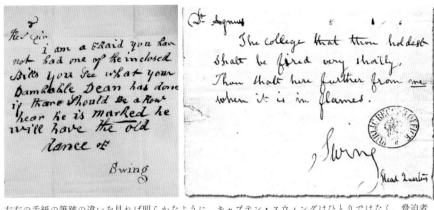

左右の手紙の筆跡の違いを見れば明らかなように、キャプテン・スウィングはひとりではなく、脅迫者は何人もいた。

　農場経営者はすでに雇用する労働者の賃金を下げていた。彼らが生活に困っても、その地域の行政区が国の定めた貧民救助法によって援助することがわかっていたからだ。しかし貧民救助法は実際には最貧層の救いにはなっておらず、そのうえ彼らの収入にも地元の教会に納める十分の一税は課税されていた。このような状況下で農場労働者の仕事を奪う機械を導入すれば、彼らの怒りをかきたてることは目に見えていた。

　イングランドの南部一帯で抗議の声が高まり、農場経営者のもとにキャプテン・スウィングと名のる謎の人物から脅迫状が届くようになった。もし自分であの憎らしい脱穀機を壊さなければ、彼がそれを壊し、収穫した穀物の山に火をつけるという内容で、たとえば次のようなものだった。

　　拝啓　これは、もしあんたが自分で脱穀機を壊さないなら、わしらは、わしらの仕事を始めると知らせるための手紙だ。仲間みんなを代表して……スウィング

　警察にとってはひとりで放火するという抵抗運動は、大勢でデモをして抗議の声をあげるわかりやすい抵抗運動より厄介だった。放火はたいて

い、夜遅くにひとりでこっそり行う犯罪だ。歴史家のあいだでも、キャプテン・スウィングと教会の十分の一税や貧民救助法に反対する勢力との関係をどう見るかの判断は分かれている。両者には共通の敵——脱穀機——があったが、抗議の方法はずいぶん違うからだ。

　ひとつだけ明らかなことがある。「キャプテン・スウィング」は目的を達成するためには暴力的行為をいとわない大勢の人間が使った偽名だということだ。それぞれの手紙の筆跡や文章の上手下手には大きな差が見られるから、それは間違いない。

　キャプテン・スウィングは雇用者と労働者の対立をあおるために何らかの組織に雇われた工作員だったという説もあった。農場労働者と壊れた脱穀機の修理でもうかる車大工や鍛冶屋や大工といった職人との共謀説もあった。抵抗運動は1831年のうちには収まったが、それまでに破壊活動に加わった500人以上の労働者がオーストラリア送りの刑を科せられ、19人が処刑されている。

当時の政治漫画。「コベット・カーリスル」というのは、トマス・ペインやウィリアム・コベットの著書に影響されて普通選挙を訴える熱烈な活動家となったリチャード・カーライルの名前をもじったもの。

033

チャールズ・ダーウィンが
博物学者として探査船に
乗り組まないかと誘われる

[1831年8月24日]

ジョン・スティーブンス・ヘンスローは22歳のチャールズ・ダーウィンに手紙を書き、南米大陸に向かう海軍の探査船ビーグル号に乗り組むことを勧めた。しかし彼がこの旅に出るには息子チャールズをイギリス国教会の司祭にしたいと考えていた父親から許可を得ることが必要だった。

ビーグル号に乗り組んでガラパゴス諸島とその周辺地域を探査したダーウィンは、その旅から彼の革新的な進化論のヒントを得て、現代科学における重要な第一歩を踏みだした。2年の予定が5年に延びたその旅は、彼が自然選択説を唱えるきっかけとなったのだ。しかし彼はもう少しでその旅への参加をことわるところだった。

チャールズ・ダーウィンは父親と同じようにエディンバラ大学で医学を学び始めたが、医学よりも地質学と海洋生物学の勉強に没頭した。それを不満に思った父親は彼をケンブリッジ大学に移して英国教会の司祭になる勉強をさせた。彼はそこで前よりは真面目に与えられた学習をしていたが、博物学への興味が失われることはなく、近代地質学の創始者のひとりアダム・セジウィックと植物学の教授ジョン・スティーブンス・ヘンスローのもとでその方面の勉強も続けていた。

1831年の夏、ケンブリッジ大学を卒業したダーウィンは、彼の動植物研究に対する並々ならぬ熱意とひらめきを認めていたヘンスロー教授から1通の手紙を受けとった。それはダーウィンにぴったりの仕事があるから応募してはどうかと勧める手紙だった。「ピーコック［ケンブリッジ大学の講師の

ダーウィンの珍しい水彩画による肖像。5年間のビーグル号の航海から帰還したあとの1930年代に描かれたもの。

ひとり]から……フィッツロイ船長に同行して南米大陸沿岸域の調査をする博物学者を推薦してほしいとたのまれた。私は君を推薦して、君ならその任務に最適だし、きっと引き受けるだろうと言っておいた」

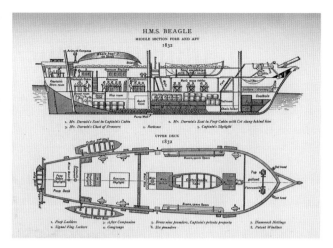

ビーグル号の図面。1820
年に進水したビーグル号
はイギリス海軍が製造し
た100隻のチェロキー級
帆船の1隻で、のちに探
査に適するよう改造され
た。

　教授はさらに、それは未知の動植物が生育する地域を観察する絶好の機
会で「船長は（私の察するところでは）単なる採集家というよりは旅の仲間にな
れる人物を望んでいて、博物学者としていかに優秀でも紳士的でない人物
は採用したくないようだ」と付けくわえていた。ダーウィンは自由に採集
活動をすることができそうで「君が本をたくさん持っていきたいなら、好
きにしていいそうだ」とも書いてあった。

　ダーウィンは是非とも行きたいと思ったが彼の父が許さなかったので、
ピーコックに辞退の手紙を書いた。だが父親とその2年におよぶ無謀な旅
について議論していたとき、父は「常識あるまともな人間がひとりでもお
前に行くべきだと言えば、行くことを認めてやる」と言っていた。その翌
日ダーウィンは叔父のジョサイア・ウェッジウッド（有名な陶磁器メーカーの創
始者）と狩猟に出かけた。その叔父について、日頃から父は世界でも有数の
思慮深い人物だと認めていた。チャールズがビーグル号の探検旅行の話を
すると、ウェッジウッドは素晴らしいことだと認めた。この叔父がチャー
ルズの味方についたので、父は「すぐに同意して大賛成だと言った」と
チャールズはのちに書いている。

034

初めて作られた郵便切手が
郵便事業を変える

［1840年5月1日］

手紙は2500年前からやりとりされてきたが、郵便切手が使われるようになってからは、まだ200年もたっていない。ローランド・ヒルによる郵便切手の発明はイギリス国内だけでなく世界中の通信手段を大きく進歩させた。

イギリスの郵便制度ジェネラル・ポスト・オフィス（GPO）は1660年、チャールズ2世の治下で設立された。しかし王室のための郵便制度であるロイヤルメールは、1516年にヘンリー8世がマスター・オブ・ザ・ポスト（後世の郵政公社総裁にあたる）の職を設けたときに始まっている。

その名が示すとおりロイヤルメールは王室専用の郵便制度だった。イングランドとスコットランドがひとつの国に統一されたあとは、統一王国の国王ジェームズ6世はスコットランド政府との連絡を行うためのロイヤルメール制度を設立した。

王室以外の市民がロイヤルメール制度を利用することを初めて許可したのはチャールズ1世で、その息子チャールズ2世によるGPOの設立により、イギリス国内に郵便局のネットワークが広がったのである。

1834年のペニーブラックに印刷されたヴィクトリア女王が王女だったころの肖像。1901年に死去するまで、この肖像が切手に使われていた。金額が印刷された下部に見られるアルファベットは、240枚つづりのシートにあったこの切手の位置を示している。

封筒に貼ったペニーブラックに赤い消印を押した実際の例。赤い消印は簡単に見えなくすることができた。

1784年には郵便馬車を使って長距離郵便の配達が可能になり、1830年からは郵便列車が走り始めた。

　人々が手紙を書く機会は増えてきたが、手紙を送るのは無料のことが多かった。GPOは手紙の受取人から、手紙のサイズと運んだ距離に応じて料金を取っていたのだ。したがってすべての手紙に一定の料金が課せられていたわけではなく、全体的に見て料金はかなり高額だった。そこで高い

料金を払いたくない場合は差出人と受取人が示しあわせ、郵便物を開けなくても外から見えるように暗号化した通信内容を書くことで支払いを逃れていた。

1839年には改善策として一律4ペニー郵便制度が導入された。これは郵便物の半オンス（約14グラム）ごとに4ペニーを一律に前払いする制度で、差出人が払っていないと受取人が2倍払うことになっていた。この制度を導入した結果、1839年11月から1840年2月までのロイヤルメールの利用は2倍に増えた。

前払いした手紙にはその証拠として、手書きまたはゴム印で数字の4が記されたが、どちらの方法をとるにしても、勝手に書き足したり偽造したりすることは簡単だった。1840年1月には料金はわずか1ペニーに値下げされ、5月には支払い済み印の偽造を防止するため黒インクで印刷した紙片——ペニーブラック——が導入された。これが公共の郵便制度における世界初の貼りつける切手である。

ペニーブラックと同時に2ペニーブルーも発行された。どちらもイギリス国内専用だったので、国名の「グレートブリテン」を印刷する必要はなかった。それが理由で、今もイギリスは自国の切手に国名を印刷していない唯一の国なのである。そのかわり、イギリスのすべての切手には在位中の君主の肖像が描かれている。

投函後の切手には赤インクで消印が押されていたが、黒地の切手に押した赤いスタンプは見にくい上に、赤インクは容易に消すことができたので、切手を不正に再利用する輩が絶えなかった。そこで1841年2月、ペニーブラックをペニーレッドに変え、消印を赤色より目立ってしかも消えにくい黒にした。結果的にブラックペニーは短期間しか使用されなかったが、1シート当たり240枚で6900万枚近くが印刷された。切手シートにミシン目を入れるようになったのは1850年のことなので、当時はハサミで切りはなしていた。

035

フリードリッヒ・エンゲルス(フレッド)は カール・マルクス(ムーア)と 生涯続く文通を始める

［1844年10月］

フリードリッヒ・エンゲルスはパリでカール・マルクスと出会い、労働者階級のためにマルクスが構築した急進的な社会主義思想に強く感化された。マルクスはドイツを追放された身だったが、エンゲルスは人目を忍んででも彼との文通を続けずにはいられなかった。

フリードリッヒ・エンゲルスはカール・マルクスとともに『共産党宣言』を書いて1848年に出版した。その中心をなす思想は今ではマルクス主義と呼ばれているが、少なくともその一部はエンゲルスがイングランド北西部のサルフォードにある父親の織物工場で働いていたときに経験した労働者階級の実態に基づいたものだった。

1844年8月、2年間のイギリス滞在を終えてドイツのヴッパー渓谷にある家に帰る途中、エンゲルスはパリに立ちよって、当時すでに左翼主義者として知られていたカール・マルクスと会った。マルクスは彼が発行していた新聞ラインラントニュースが発行禁止となったため1843年にパリに移り、社会民主主義をうたう雑誌『独仏年誌』を発行したが、結局これは合冊を1回発行して終わっていた。

チェスの愛好家や知識人が集うパリのカフェ・ド・ラ・レジャンスで面会したエンゲルスとマルクスは、すぐに意気投合した。エンゲルスがイギリスで実際に見た労働者階級の現状に始まり、労働者階級の力を結集して政治と社会を変革しようという共通の目標について、ふたりは熱く語りあった。そして記事の執筆やパンフレットや著書の発行によって自分たち

の考えを広く知らせようと協力を約束したのち、エンゲルスは実家のある
ドイツのバルメンに帰った。

　エンゲルスはそこからマルクスに書いた長い手紙で「君と過ごした10日
間に経験した明るく楽しい気分をここではまだ感じられないでいる」とマ
ルクスへの友情を率直に語り、ケルンでは「同志たちはとても活動的だ」
デュッセルドルフには「何人か有能な仲間がいた」などとドイツの現状を伝
えている。そしてエルバーフェルトの人々は「人道的な考え方が第二の天
性になっている」し、バルメンの警察には「共産主義者の警部がひとりい
る」と知らせてもいる。

　ドイツにひとつだけ残っていた社会民主主義組織の機関紙フォアヴルッ
ツも印刷はパリでするしかなく、それとわからないように包装してドイツ
の書店にこっそり運んでいるような当時の実情では「私たちは、逮捕され

［左］カール・マルクス。［右］フリードリッヒ・エンゲルス。

フリードリッヒ・エンゲルスからカール・マルクスへの手紙

マルクス君

私がすぐに手紙を書かなかったので君は驚いていることだろう。それも無理はない。しかし私は今も、いつそちらへもどれるか君にはっきり伝えることができない。私はここ3週間バルメンから動くことができず、なぐさめと言えばいく人かの友人や身内とすごすことぐらいしかないのだ。ありがたいことに、その中には数人のやさしい女性もいる。仕事など問題外だ。妹のマリーがエーヴェルベックの知人であるロンドンの共産主義者エミル・ブランクと婚約したこともあって、わが家は大混乱に陥っている。この先も私がパリにもどることを妨げる困難が次々に生じることは明らかだ。私はこれから半年、いやひょっとすると1年ほどは、ドイツで無為に過ごすことになるかもしれない。もちろんそうならないように全力を尽くすが、私がどれほどつまらない考えや迷信的な恐怖に悩まされているか、君には想像もつかないだろう。

私は3日間ケルンで過ごしたのだが、私たちがそこで行った大規模な宣伝活動にわれながら驚嘆している。同志たちはとても活動的だ。しかし、私たちに理論的裏付けが足りないことも痛感させられた。いくつかの宣伝会場では、私たちの思想が過去の歴史や思考法から論理的に発展したものであり、必然的に生まれたものだということをうまく伝えられず、人々に暗闇の中を手探りで進むようなぼんやりとした印象を与えてしまった。その後に行ったデュッセルドルフには何人か有能な仲間がいた。しかしいちばん感心したのはエルバーフェルターズの同志たち。彼らは人道的な考え方が第二の天性になっている。そして彼らの家庭の在り方を変え、年長者が召使いの上に立つ貴族のようにふるまうたびにそれを正そうとしている。それが家父長制の強い土地柄であるエルバーフェルトで大いに効果を上げているのだ。エルバーフェルトにはもうひとつ、エルバーフェルターズほど一致団結してはいないものの、すぐれたグループがある。バルメンの警察には共産主義者の警部がひとりいる。昨日、今は中等学校の教師をしている昔の同級生が私の家に来た。彼は共産主義者とはまったく付きあいがないのに逮捕されていたそうだ。私たちがもっと直接的に人々に影響を与えることができれば私たちの思想はもっと広まるだろうが、それは不可能だ。私たちは、逮捕されないようおとなしく慎重に著述を続けなければならない立場なのだから。ここは安全だ。私たちがおとなしくしてさえいれば誰にも脅かされることはない。ヘス君が訴えている恐怖は実体のない幻だと思う。今のところ私はこれといった危険は感じていない。もっとも一度だけ検事が私について仲間にしつこく尋ねたことはあったが、それ以外には特に何の気配も感じられない。

ないようおとなしく慎重に著述を続けなければならない立場なのだ」とも
書いている。この手紙でエンゲルスは「私たち」という言葉を多く使ってふ
たりの友情の固さを強調している。

　個人どうしの手紙のやりとりも内密に行う必要があった。「この手紙が
検閲を受けることなく君に無事届いたら、返信を入れる封筒には差出人と
して、できるだけ事務的に見える書き方でエルバーフェルト、Ｆ・Ｗ・
シュトリュッカー社と書いてもらいたい（私信とわからないように）……女性が
書いたようにみせかけたこの手紙の正体をドイツ郵便の検閲官が見破るか
どうか、是非とも知りたいものだ」

　その後もふたりはマルクスが死去するまでずっと、協力して著作に励ん
でいた。エンゲルスは父親から受け継いだ財力を惜しみなく使って、代表
作『資本論』を執筆するマルクスを支え続けた。草創期の共産主義の偉大な
指導者のひとりマルクスをささえたのが、裕福なドイツ人企業家の息子
だったというのは皮肉なことかもしれない。

036

ボードレールは
自殺すると書いた手紙を
恋人に送るが……死ななかった

[1845年6月30日]

2018年、フランスの詩人ボードレールが書いた手紙がオークションにかけられ、25万ユーロ近い価格で落札された。この手紙に他の出品物の3倍もの値がついたのはその冒頭に書かれた一文のせいだった。そこには「あなたがこの手紙を受けとるころには、私は死んでいるでしょう」と書いてあったのだ。

シャルル・ピエール・ボードレールは苦悶する——魂が悲鳴をあげている——詩人の典型だった。もっともその苦しみのほとんどは自分が招いたものだ。彼は浪費家で、酒とアヘンに溺れていた。

1845年、彼は自分の死を予告する手紙を書いた。それは恋人のジャンヌ・デュヴァルに宛てたものだ。ジャンヌはフランスとハイチの血をひく女優で、ボードレールの母カロリーヌに言わせれば黒いヴィーナスだった。ふたりの女性の仲は悪かった。カロリーヌはジャンヌがシャルルの稼ぎを全部使ってしまい、彼に惨めな思いをさせていると思っていた。それが本当かどうかはともかく、彼らはジャンヌが1860年代に死ぬまで、つかず離れずの関係を続けていた。

ボードレールはジャンヌよりずっと早く死ぬはずだった。若者が衣服や娼婦や酒や麻薬に有り金を使い果たすのは、自分が嫌でたまらない証拠だ。彼はまた、自分の母親が彼の恋人だけでなく、彼の何もかもに不満をもっていることが耐えられなかった。

増え続ける借金と自分の能力に対する自信喪失が彼の憂鬱をさらに深めた。ジャンヌに宛てた1845年の手紙には、彼が自殺しようとしている理

由が書いてあった。「もうこれ以上生きていけないから、眠りに入るとき、そして眠りから覚めるときに感じる疲労感にもう耐えられないから、私は自殺する。私は不滅だと信じているし、そうなりたいと望んでいるから、私は自殺する」と。

　ボードレールが金銭の管理が下手なのとおなじくらい自殺も下手だったことは文学界にとって幸いだった。彼は自分の胸をナイフで刺したが、ナイフが重要な内臓をすべてよけていたので命に別状はなかった。皮肉なことに、彼は自殺に失敗したことで望みどおりの不滅を手に入れた。彼は気持ちもあらたに詩作を続け、産業化社会の新しい価値観を反映した詩を書いて多くの詩人に影響を与えることになる。

　彼が書いて最初に出版されたのは、1845年の、サロンの名で知られるパリの展覧会の美術評論だった。それをきっかけに彼は美術および文学のすぐれた批評家としての評価を得ていく。1847年にはジャンヌとの恋愛をフィクションにして書いた『ラ・ファンファルロ』を発表し、その10年後に出版した詩集『悪の華』で詩人としての地位を確立した。

　その詩集の中の作品のいくつかは、公序良俗に反するという理由で削除するよう命じられた。「そんなことは平気だ。馬鹿者たちの言うことなんか気にしない。この詩集はその美点も欠点も含めて文学のわかる人間の記憶に、ユーゴーやゴーティエや、バイロンとさえ並んで残ることになると私は

ボードレールはエドガー・アラン・ポーの作品の影響を受けていた。ポーの小説の多くを翻訳しただけでなく、自分がフランスのポーになろうとしていた。

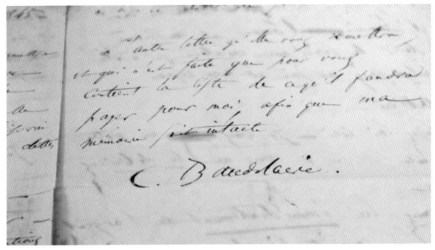

1845年にはボードレールの詩人としての仕事は自殺と同様にうまく行っていなかった。しかし『悪の華』の出版ですべてが変わることになる。

思っているから」と彼は母への手紙に書いた。

　のちに彼は心から母に「私のすべてはお母さんのものだ。あなただけのものですよ」と語った。ボードレールが亡くなったとき、母カロリーヌは彼が母の再婚相手である養父のあとを継いで外交官の道に進んでほしかったと語った。「そうすればもちろん文学の世界で名を残すことにはならなかったでしょうけれど、きっともっと幸せに暮らせたでしょうね」とも。

　ボードレールは重い脳卒中の発作を起こし、人生最後の2年間は体が不自由で話すことも言葉を理解することもできなかった。そして1867年、言葉を操る人間にとっては何よりもつらい状態のまま、パリのサナトリウムで亡くなったのである。

037

ロバート・アンダーソン少佐が
サムター要塞からの撤退を報告する

［1861年4月18日］

チャールストンの港にある北軍（連邦軍）の要塞守備隊司令官は、ワシントンの作戦本部に至急の連絡を送り、要塞からの撤退を報告した。これは南軍（南部連合軍）から北軍への最初の攻撃だった。南北戦争が開始されたのだ。

　サウスカロライナ州が合衆国から離脱し、1861年4月10日にエイブラハム・リンカーンが大統領に就任すると、南軍司令官ピエール・G・T・ボーリガード将軍はチャールストン港にある北軍のサムター要塞を包囲し、撤退を要求した。南軍は装備をととのえた1万人の部隊だったが、対する北軍守備隊の兵士はわずか68人で、装備も貧弱なら食糧その他の物資も不足していた。しかし北軍の守備隊司令官ロバート・アンダーソンは降伏を拒否した。

　4月12日金曜日の午前4時30分、南軍のヘンリー・S・ファーリー中尉がジェームズ島の10インチ砲の発射を命じ、これをきっかけに要塞への砲撃は長く続いた。午前7時ごろになって北軍の副司令官アブナー・ダブル

南軍の攻撃によって受けたサムター要塞の損害状況。

S.S.BALTIC.OFF SANDY HOOK APR.EIGHTEENTH.TEN THIRTY A.M. .VIA

NEW YORK. . HON.S.CAMERON. SECY.WAR. WASHN. HAVING DEFENDED

FORT SUMTER FOR THIRTY FOUR HOURS UNTIL THE QUARTERS WERE EN

TIRELY BURNED THE MAIN GATES DESTROYED BY FIRE.THE GORGE WALLS

SERIOUSLY INJURED.THE MAGAZINE SURROUNDED BY FLAMES AND ITS

DOOR CLOSED FROM THE EFFECTS OF HEAT .FOUR BARRELLS AND THREE

CARTRIDGES OF POWDER ONLY BEING AVAILABLE AND NO PROVISIONS

REMAINING BUT PORK.I ACCEPTED TERMS OF EVACUATION OFFERED BY

GENERAL BEAUREGARD BEING ON SAME OFFERED BY HIM ON THE ELEV

ENTH INST.PRIOR TO THE COMMENCEMENT OF HOSTILITIES AND MARCHED

OUT OF THE FORT SUNDAY AFTERNOON THE FOURTEENTH INST.WITH

COLORS FLYING AND DRUMS BEATING.BRINGING AWAY COMPANY AND

PRIVATE PROPERTY AND SALUTING MY FLAG WITH FIFTY GUNS. ROBERT

ANDERSON.MAJOR FIRST ARTILLERY.COMMANDING.

アンダーソン少佐からの内戦の幕あけを告げる電報。

デイ中佐が最初の一斉射撃による反撃を命じたが、彼にも銃弾が敵に届か
ないことはわかっていた。南軍の砲撃は34時間にもおよんだ。
　抵抗はむだであり、すぐには救援がないことを悟ったアンダーソン司令

官は4月13日午後2時30分に降伏を告げた。南軍は守備隊が翌日要塞を出て、北部にもどることを認めた。アンダーソン司令官はサンディフックから蒸気船バルティックに乗った直後の4月18日午前10時30分、ワシントンの作戦本部に電報を打って一連の事実を報告した。

　「サムター要塞を34時間にわたり防衛したが要塞の4分の1は消失し、メインゲートは完全に破壊された。後部通路の壁は損傷が激しい。弾薬庫は炎に包まれ、その扉は高温のため開かなくなった」

　この報告の意味することは明白だった。北軍の作戦本部長ロバート・トゥームズはその時「この要塞に対する砲撃は世界がこれまでに見たことのないほど大規模な内戦の幕あけになるだろう……」と語った。電報を受けとったリンカーン大統領は7万5000人の義勇兵を募集し、議会を招集した。南軍に対する非難の声が高まり、それは北軍の大義を叫ぶ声になった。

　このサムター要塞の戦いにおける北軍の死者は2名、負傷者も2名で、南軍の死傷者はなかったが、その後につづく血まみれの内戦のきっかけとなったのは事実である。

　4年後、近くにあるモリス島とサリバン島の海岸砲台からの砲撃を受けてサムター要塞は瓦礫の山となり、南軍のボーリガード将軍はチャールストンからの撤退を命じて1865年2月22日に要塞は放棄された。ロバート・アンダーソン少佐とアブナー・ダブルデイ大尉は4月14日にその地にもどり、1861年に一度は下ろした要塞のシンボルの星条旗をふたたび掲げた。サムター要塞からの撤退を報告した電報はワシントンの国立公文書館に保存されている。

038

戦闘の前夜、サリバン・バルーは妻セアラに手紙を書く

［1861年7月14日］

サリバン・バルーはごく普通の男性だった。東海岸で弁護士として働く既婚男性で二児の父親だった。地元政界で活発に活動し、ロードアイランド州議会の議長を務めていた。1861年、彼はリンカーン大統領による北軍（連邦軍）義勇兵の募集に応じた。

南北戦争の最初の攻撃は1861年4月12日にチャールストン港のサムター要塞を南軍が奪取した戦闘だった。その敗戦を受けて、リンカーン大統領は南軍に勝利するための義勇兵を募集した。バルーも共和国の理想を信じ、率先して募集に応じたひとりだった。

ロードアイランド州議会などで活躍していたバルーは士官候補であり、ロードアイランド第2歩兵連隊の少佐に任じられた。1861年7月、連隊は行動を開始した。まずワシントンに向かい、そこからヴァージニア州北部に進軍して他の部隊と合流した。今や彼は新任のアーヴィン・マクダウェル将軍が率いる約3万5000人の大部隊の一員だった。マクダウェル将軍は開戦前からの軍人だったが、数日前まではバルーと同じ階級だった。

ヴァージニアへの進軍に先立ち、バルーも部下たちと同様に作戦行動に入る日が近いと感じ、妻のセアラに手紙を書いた。彼は「もう二度と君に手紙を書けなくなるかもしれないから」と書き始め「アメリカという国が掲げる理想を守るためには、連邦軍が勝利することが必要であり」と信念に基づいて戦うと言いながらも「どんなに情けなく不名誉なことだとしても、国のためにつくすという旗印を穏やかな風に誇らしげにはためかせる一方で、愛国心と私の君たちへの限りない愛情とのせめぎ合いが、たとえ

それが勝ち目のない無意味な戦いだとしても、たしかに私の中にある」と書いている。死の恐怖に直面している彼は続けて「セアラ、私が死んでも君への愛は死なない……もし私がもどらなくても、私がどれほど君を愛していたかは忘れないでほしい。戦場で最期の息を引きとることになったら、私はその息を吐きながら君の名前を呼ぶよ」と変わらぬ愛を誓っている。

サリバン・バルーは自分が支持する政府のために国民としての義務を果たした典型的な義勇兵だった。セアラに宛てた彼の手紙はケン・バーンズ制作の南北戦争をテーマにしたテレビドキュメンタリーに使われた。

バルーは父を早くに亡くしていたので、子どもたちと妻を残して死ぬのはとてもつらいことだった。だからこそ彼は「私の魂はいつも君たちを見守り、君が可愛い子どもたちを連れて嵐の中を進むようなときには必ずそばに付いているよ」と書いたのだ。妻への愛情を抑えきれなかったらしい、まるで一篇の詩のような箇所もある。「ああ、セアラ！　もし死者がこの世にもどることができたら、そして姿を隠したまま愛する者たちのまわりを飛びまわることができるなら、私はいつも君のそばにいる。光り輝く昼も暗黒にしずむ夜も――君が幸福に包まれているときも、気持ちが沈んでいるときも――いつも、いつも私がいる。君のほほをやさしいそよ風がなでることがあればそれは私の息だ。君のこめかみがズキズキしているときに涼しい風が吹いて痛みをやわらげたら、それは私の魂がそこを通りすぎたしるしだ」

1週間後、少佐である彼は騎馬で連隊の先頭に立ち、ヴァージニア州マナッサス近郊に到着した。ワシントンに送りこまれていた南軍のスパイは、北軍の司令官マクダウェル将軍の戦略をよく知っていた。そのためこの第一次マナッサスの会戦でマクダウェルの作戦は裏をかかれた。北軍は

サリバン・バルーから妻セアラへの手紙

愛するセアラへ

　近いうちに——たぶん明日には——出動することになりそうだ。もう二度と君に手紙を書けなくなるかもしれないと思うと、私がいなくなっても君の目にふれるものを残すために何か書かずにはいられない。

　私たちの戦闘は2、3日で終わる簡単なものかもしれないが、ひょっとしたら激しい戦いになって私は死ぬかもしれない。それは私の意志ではどうにもならないこと、神のご意思に従うしかないことだ。国のために私が戦場に倒れることが必要なら、その覚悟はできている。私は私たちの大義については少しも疑いや不安を抱いてはいないし、勇気がくじけることもない。アメリカという国が掲げる理想を守るためには、連邦軍が勝利することが必要であり、独立戦争で苦しみ血を流した先人たちに恥じない行動をとるべきだと私にはわかっている。そして先人たちに報い、連邦を維持するためなら喜んで、うそも偽りもなく喜んで、この世の喜びを犠牲にするつもりだ。

　でも、愛するセアラ、私が自分の喜びを犠牲にするということは、同時に君たちみんなの喜びのほとんどを犠牲にし、君たちの人生を不安と悲しみで満たすことになると考えると——早くに父親を亡くした私が長いあいだつらい思いをしてきたことを考えるとなおさら、せめて子どもたちがこの先も生きていくための支えとして、どんなに情けなく不名誉なことだとしても、国のためにつくすという旗印を穏やかな風に誇らしげにはためかせる一方で、愛国心と私の君たちへの限りない愛情とのせめぎ合いが、たとえそれが勝ち目のない無意味な戦いだとしても、たしかに私の中にあることを知らせておきたいと思うのだ。

　セアラ、私が死んでも君への愛は死なない。私は君と、全能の神以外には誰も切ることのできない強い絆でつながっているように思う。そこへ私の愛国心という強い風が吹いてきて、鎖を巻きつけ、私を否応なく戦場へと引っぱっていくのだ。君たちと過ごした幸せあふれる日々の記憶がよみがえってくる。そんな日々を与えてくれた神と君たちに感謝しているよ。それを手放して未来への希望を消し去るのは本当につらいことだ。でも神の思し召しがあれば、私たちはこの先も生きて愛しあって息子たちが成長して立派な人間になるのを見ることがあるかもしれない……

　会戦前の小競りあいの経験から自軍の力を過大評価し、南軍の戦意が高揚していることを過小評価していたらしい。南軍の旅団のひとつを指揮して

バルーが戦死する1週間前に妻に宛てて書いた最後の手紙の一部。

いた准将トマス・ジョナサン・ジャクソンはこの会戦で一歩も引かずに戦い続け、それ以来ストーンウォール（石の壁）・ジャクソンというあだ名で呼ばれるようになったほどだったのだ。

　第一次マナッサスの会戦（北軍は同地にあった川の名をとってブルランの戦いと呼んだ）では南軍が圧勝した。バルーは最初の突撃のさいに砲弾を受け、馬と右脚を失い、その怪我がもとで1週間後に野戦病院で死亡した。セアラに書いた手紙は彼の私物の中から見つかった。バルーが妻に宛てて書いた最後の手紙はのちに出版され、軍人が書いたもっとも有名な別れの手紙となった。セアラ・バルーは再婚しないまま、夫の死の56年後に亡くなった。

039

エイブラハム・リンカーンが
マクレラン将軍に
最後通牒を送る

［1862年］

北軍のジョージ・マクレラン将軍は自分の判断を過信する傾向があり、反抗的で命令に背くことが多かった。南北戦争の最中にリンカーン大統領が彼に送った電報からは、戦況が微妙なバランスにあった時点での両者の緊張関係を見てとることができる。

マクレラン将軍は自己主張の強い職業軍人だった。上官を上官とも思わない彼の性格をよく表すエピソードがある。カスケード山脈を横断する鉄道の最適ルートを調査するよう命令された彼は冬季の状態を調査する手間を省いた結果、四つの候補の中でも最悪のルートを選んだ。それ
ばかりか彼は調査日報の提出を拒んだのだが、その理由は——広く信じられているところでは——彼に調査を依頼したワシントン準州知事の悪口がいたるところに書かれていたからだった。

　南北戦争が勃発すると彼はふたたび軍務につき、北軍側のオハイオ市民軍の指導にあたったが、奴隷制度に関しては南部諸州の連邦からの離脱を支持していた。初めのうち彼はオハイオ市民軍を率いていくつかの勝利をおさめ、大統領に助言を求められたり、新しくポトマック軍の指揮官に任じられたりして得意の絶頂だった。彼は妻に宛てた手紙に「もう少し今の調子が続けば、独裁者にでも何でもなれそうな気になってきた」と書いたほどだ。

　しかし彼は自分が思うほど優秀ではなかった。常に敵の戦力を過大に評価する傾向があり、攻撃が慎重になりすぎていた。さらに総司令官リン

第36代大統領リンドン・ジョンソンが扱いにくいFBI長官エドガー・フーヴァーについて、彼をテントの外に出しておくよりは中に入れておいたほうがましだ、と言ったのは有名な話だ。エイブラハム・リンカーン大統領は1862年9月、アンティータムで反抗的なマクレラン将軍とテントの中で会見したあと、彼を外に出した（解任した）。

カーンの大局的観点からの判断や戦略を尊重せず、それに従わなかった。リンカーンを「人のいい馬鹿者」と評したことさえあった。

　そして南軍の拠点となっていたヴァージニア州リッチモンドでの戦闘において、ふたりの対立は頂点に達する。1862年5月25日、リンカーンはマクレラン将軍に電報で「南軍はわが軍のバンクス将軍を追い立てるためかなりの軍を北進させている。これはリッチモンドの守備を手薄にするためのわが軍の作戦の一環である」と伝えた。

　要するに敵は今リッチモンドの守備を最優先にはしていないから、こちらが攻撃する絶好のチャンスだということだ。しかし敵が北進すればワシントンが脅かされることになる。これは時間の問題だった。そこでリンカーンは「君の軍がリッチモンドを攻撃するか、攻撃をあきらめてワシントンの防衛にまわるかを早急に決断し、行動してほしい」と命じた。

　マクレランはリンカーンの言葉に従わなかった。彼はゆっくり進んでリッチモンドを攻撃し、南軍からの予想外の反撃によって撃退され、リッチモンドを奪取する機会を逃したのだ。南軍のロバート・E・リー将軍は

United States Military Telegraph,

War Department,

Head Quarters A.P. 6. P. m.
October 25th 1862.

His Excellency
        The President.

        In reply to your telegram
of this date I have the honor to
state, from the time this army left
Washington on the 7th of September
my Cavalry has been constantly
Employed in making reconnoisances,
Scouting & picketing. Since the battle
of Antietam six (6) Regiments have
made a trip of two hundred (200)
miles marching fifty-five (55) miles
in one day while Endeavoring to
reach Stuarts Cavalry.

        Genl Pleasanton in his
official report states that he

19190

10月25日、マクレランはリンカーンからの辛辣な質問に対し、憤然として3ページにおよぶ返事を書いた。これはその1ページ目。リンカーンは「病気の馬、疲労した馬についての君の報告を受けとったところだ。君の部隊の馬たちがアンティータムの戦い以後、疲れるようなどんなことをしたのか、よかったら教えてほしいものだ」と書いていた。

6月末まで十分な時間をかけて、リッチモンドの守りを固めることができた。撤退したマクレランは敗北をリンカーンの責任だとして責めた。彼は作戦本部に電報を打ち「私の軍を守ることができたのはあなたのおかげでも、ワシントンにいる誰のおかげでもない。あなたたちのせいで、わが軍はもう少しで犠牲になるところだった」と主張したのだ。

こんなことがあっても、そして作戦本部のほとんどのメンバーの訴えがあっても、結局マクレランはワシントンの防衛を任された。ところが両軍に多数の死傷者を出した9月17日のアンティータムの戦いで、北軍が大勝したのにマクレランは敗走する敵軍を追撃しようとしなかったので、リンカーンもそれを口実にしてついに彼を解任する。それでもマクレランには自分に都合の悪い現実は見えていなかった。彼は「私が信頼を置いている人々は私の戦術はすばらしかった、まさに芸術だ、と言っている」と妻に報告している。また彼は1864年の大統領選挙でリンカーンと対決したが、落選した。

しかしマクレランはアメリカ陸軍に大きな功績も残している。彼が設計した軍馬用の鞍はマクレラン・サドルと呼ばれ、20世紀に騎兵隊がなくなるまでずっと使われていたのだ。

040

エイブラハム・リンカーンは ホレス・グリーリーに南北戦争の もっとも重要な目的を明確に語る

［1862年8月22日］

エイブラハム・リンカーンは、ニューヨーク・トリビューン紙を創刊した編集者で奴隷制廃止論者のホレス・グリーリーが南北戦争のさなかに紙面に掲載した批判的な公開質問状に、誠意のこもった回答を寄せた。

1862年に南北戦争の戦況に変化が起きたことが、ニューヨーク・トリビューン紙の編集者グリーリーが同年8月19日にトリビューン紙に自分が書いた公開状を掲載するきっかけに

なったのだろう。当初は劣勢だった北軍が次第に優勢に転じ、北部連合の支持者は内戦終結後の国のあり方について考えるようになっていた。グリーリーは長年にわたり奴隷制廃止を訴えてきた人物である。彼にとって南北戦争は奴隷制を廃止するための内戦にほかならず、リンカーンがその目標をはっきり口にしていないことに納得できないでいた。

「2000万人の祈り」の見出しをつけたその記事は「拝啓、あなたの気を悪くさせるつもりはありませんが、大統領選であなたに投票し勝利させた人々の大部分は、南軍の奴隷制に関する政策に大変深

ホレス・グリーリーは1841年にニューヨーク・トリビューン紙を創刊した。彼は熱心な社会運動家で奴隷制廃止論者だった。

WASHINGTON.

"LIBERTY AND UNION, NOW AND FOREVER, ONE AND INSEPARABLE."

SATURDAY, AUGUST 23, 1862.

A LETTER FROM THE PRESIDENT.

EXECUTIVE MANSION,
Washington, August 22, 1862.

Hon. HORACE GREELEY:

DEAR SIR: I have just read yours of the 19th, addressed to myself through the New York Tribune. If there be in it any statements, or assumptions of fact, which I may know to be erroneous, I do not now and here controvert them. If there be in it any inferences which I may believe to be falsely drawn, I do not now and here argue against them. If there be perceptible in it an impatient and dictatorial tone, I waive it in deference to an old friend whose heart I have always supposed to be right.

As to the policy I "seem to be pursuing," as you say, I have not meant to leave any one in doubt.

I would save the Union. I would save it the shortest way under the Constitution. The sooner the national authority can be restored the nearer the Union will be "the Union as it was." If there be those who would not save the Union unless they could at the same time *save* slavery, I do not agree with them. If there be those who would not save the Union unless they could at the same time *destroy* slavery, I do not agree with them. My paramount object in this struggle *is* to save the Union, and is *not* either to save or to destroy slavery. If I could save the Union without freeing *any* slave I would do it, and if I could save it by freeing *all* the slaves I would do it; and if I could save it by freeing *some* and leaving others alone, I would also do that. What I do about slavery and the colored race, I do because I believe it helps to save the Union; and what I forbear, I forbear because I do *not* believe it would help to save the Union. I shall do *less* whenever I shall believe what I am doing hurts the cause, and I shall do *more* whenever I shall believe doing more will help the cause. I shall try to correct errors when shown to be errors; and I shall adopt new views so fast as they shall appear to be true views.

I have here stated my purpose according to my view of *official* duty; and I intend no modification of my oft-expressed *personal* wish that all men every where could be free. Yours,

A. LINCOLN.

新聞に掲載されたリンカーンの回答。

く心を痛めています」と始まっていた。「大統領閣下」でなく「拝啓」と書きだしたのは、グリーリーがわざと素っ気ない態度を示そうと計算した上でのことだった。

先へ進むにつれて語調はさらにぶしつけで攻撃的になっていった。1862年に成立した新法は南部の大農場主の土地を没収し、農場主に所有されていた奴隷を解放するという趣旨ではなかったのか。しかるにあなたはその条項にしたがって行うべき公務を遂行していない、とグリーリーは非難していた。

リンカーンの回答は8月22日付のトリビューン紙に掲載され、翌日には他紙に転載された。リンカーンには共和党と北部諸州の目的を支持するグリーリーと議論するつもりはなかった。その公開書簡は「あなた[の公開状]からはかすかに短気さと尊大さが感じられますが」と少ししたしなめるような口調で始まり「常に正義の心をもつ古くからの友人であるあなたのことですから、まあいいでしょう」といなしている。しかし大統領

は、自分がどうしても伝えたいことは明確に率直に伝えようと努力していた。

　奴隷制の問題はたしかに南部諸州が連邦から分離しようとする理由のひとつかもしれない。しかし大統領が問題としているのは奴隷制度ではなく、それらの州が合衆国を離脱しようとしていることなのだ。「私が何よりも重視しているのは合衆国を守ることで、奴隷制度の存続ではなく廃止でもない。奴隷解放ができなくても合衆国を守れるならそれがいいし、すべての奴隷を解放しなおかつ合衆国が守れるならそれがいいし、奴隷の一部だけが解放されて残りは解放されないとしても、合衆国が維持できるならそれでいい」

　リンカーンの手紙はこの調子で続き、大統領としての彼の使命を果たすことに何の迷いもないことを明らかにしていた。そして最後のパラグラフでやっと、リンカーンは彼の個人的な立場を明かす。「私はここまで公的な使命を果たすべき立場の人間として語ってきた。しかし私個人としては、これまで何度も言ってきたように、世界のどこにあってもすべての人間は自由であるべきだという信念に少しの迷いもない」と。

　リンカーンがホレス・グリーリーに宛てたこの手紙には書かなかったことがある。それは彼がすでに南部諸州にいるすべての奴隷を自由にするための「奴隷解放宣言」を起草していたことだ。リンカーンは1862年9月のアンティータムの戦いで北軍が圧倒的勝利をおさめるまで、自暴自棄になったと非難されることを避けるために宣言の発表を控えていた。戦いを有利にする手段としては解放が適用されるのは南軍の支配地だけで北部諸州の奴隷には適用されないことになっていたが、北軍が勝利した結果、350万人の奴隷が解放され、そこから公式に奴隷制度を廃止する合衆国憲法修正13条への道が開いたのである。

041

ウィリアム・バンティングは彼がどのようにして体重を減らしたかを世間の人々に伝えたいと思う

［1863年］

イギリス王室御用達の葬儀屋ウィリアム・バンティングは、ディケンズの小説の登場人物、太っちょのピクウィック氏のような外見だった。ヴィクトリア時代前半の当時は、太っていることは裕福なしるしだった。しかし、かがんで靴ひもを結ぶこともできなくなった彼は、何とかしなければいけないと考えた。

ウィリアム・バンティングの一家は、1820年のジョージ3世から1910年のエドワード7世までの歴代国王の葬儀をとりしきった葬儀屋だった。1861年にヴィクトリア女王の夫君アルバート公の葬儀を行ったときには、棺の前をゆっくりと歩く恰幅のいい彼の姿が、ある種のおごそかさを演出したものだった。

　それでも彼はやせたかった。当時の一流の医師たちに相談したが、効果は見られなかった。1862年8月、彼はロンドンのソーホー地区に診察室をかまえる医師ウィリアム・ハーヴィーのもとを訪れた。ハーヴィーは肥満の専門家ではなかったが、いろいろな疾患を治療する手段として体重を減らすことに注目していた。そしてハーヴィーの助言によって、バンティングはやせることができた。バンティングはその一部始終をハーヴィーへの感謝に満ちた証言として執筆し、1863年末にそれを小冊子に印刷して友人や関心を示した人々に配った。

　これが伝説的な『肥満についての書簡』で、この小冊子は大変な人気を呼んだため1年のうちに3回の改訂と増刷を重ね、今も出版が続いている。これを書いたとき彼は69歳で、89歳で亡くなるまで彼はそのダイエット法

1862年に65歳だったバンティングは体重92キロ身長165センチで、運動は好きではなかった。しかし真面目に「バンティング」(ダイエット)に取りくんだ結果、体重は70キロまで減った。

の歩く広告塔であり続けた。こうして彼はダイエットに励んだ最初の人物として、そして炭水化物の摂取を減らすダイエット法を最初に広めた人物としてその名を残すことになったのだ。

　現在の低炭水化物ダイエットの実践者はバンティングより厳しい食餌療法にしたがっている。バンティングはその書簡で自分は、昼食には「上質なボルドーかシェリーかマデイラをグラスに2、3杯」、夕食には「クラレットかシェリーを1、2杯」、そして「寝る前に飲みたければコップ1杯の水割り──ジンかウィスキーかブランデーを砂糖抜きで──」をたしなむと書いていた。

　彼はさらに、どうしても少しはトーストも食べてしまうと認めている。

しかし21世紀の低炭水化物法であるアトキンス・ダイエットの実践者も彼がシャンパン、ポルト、ビール、ジャガイモ、パースニップ、ビーツ、カブ、ニンジン、そしてもちろん砂糖を避けていることにはうなずくことだろう。彼の小冊子によれば「以前の私は、朝食にパンと牛乳、と言うか具体的には牛乳と砂糖をたっぷり入れた紅茶を1パイント（約500cc）とバタートーストを、昼食に肉とビールとたくさんのパン（大好物なのだ）とケーキやパイを、そして夕方に朝食と同じようなものを食べて、さらに大抵は夜食としてフルーツタルトかパンと牛乳をとっていた。当時は満足感もほとんどなかったし、今のようにぐっすり眠ることもできなかった」そうだ。

　彼の『書簡』には、以前にためしてうまくいかなかったダイエット法について書いたものもあった。たとえば激しい運動を勧められてボートをこいでみたが、食欲が増すばかりで余計に太ってしまったこともあったらしい。ハーヴィーの食餌療法によってバンティングの体重は最初の1年で20キロ以上減少し、胴回りは30センチ以上減った上に、前より視力をはじめ「その他の体調全般が改善された」そうだ。以前はかがんで靴ひもを結ぶこともできなかったのに、である。

　当時から見ればダイエット法はずいぶん進歩したが、ダイエットの失敗も成功も包み隠さずに書き、成功した事業家の日常生活や日々の苦労を描いたバンティングの書簡は今も魅力を失っていない。バンティングのダイエット法は今も世界中で人気があり、スウェーデンなどの国ではダイエットをさして「バンタ banta」という言葉が今も使われているほどだ。

042

シャーマン将軍は
アトランタ市民に戦争とは
悲惨なものだと告げる

［1864年9月12日］

アトランタ市を陥落させたあと、北軍のシャーマン将軍は同市の軍隊および行政の
リーダーたちと文書のやりとりをした。その中で彼は、戦争は悲惨な結果をもたらすこ
とになるが、自分は北軍の大義のために徹底的に戦い抜く決意であることを率直に
表明していた。

1864年のジョージア州アトランタにおける戦闘は、南北戦争の中でも
有数の激戦だった。アトランタは南軍の重要拠点であり、戦争勃発前
には1万人以下だった人口が、南軍の軍服のボタンから軍艦の装甲鉄板ま
でさまざまな軍用品の製造に当たる職人が流入したことで2万人にまでふ
くらんでいた。

南軍の支配地の中でももっとも南に位置しているにもかかわらず、アト
ランタはその鉄道路線をねらうウィリアム・T・シャーマン将軍が率いる
北軍の標的となった。市内に入る4路線の鉄道を北軍が確保すると、アト
ランタの守備に当たっていた南軍のフッド将軍は勝ち目なしと見て9月1日
の夜、暗闇にまぎれてひそかに軍隊を町から撤退させた。その翌朝、アト
ランタ市長ジェームズ・カルフーンはシャーマン部隊の先発隊に正式に降
伏を伝えた。

フッド将軍は主要な市内の工場のいくつかを破壊し、南軍の軍需品を満
載した81両の鉄道車両をアトランタ出発前に爆破していた。シャーマンは
アトランタの南軍補給基地としての役割を無力化してから次の攻撃目標で
あるサヴァナに向かう予定で、出発前にアトランタを爆破するつもりだっ

た。そして爆破する前に市民が南部でも北部でも行きたい場所へ安全に移ることができるよう、2日間の休戦を宣言した。

　軍人のフッドと市長のカルフーンの双方から受け取った抗議の手紙に対するシャーマンの回答は、戦争の悲しい現実についての深い考察に基づく見識ある内容のものだった。「戦争は残酷なものであり、それはどうしようもないことだ」と彼は書く。そしてアトランタ市民から現在の生活を奪うことを残酷だと非難する市長の言葉を切って捨てる。「あなたたちは戦争が家まで来ているのに、それがわかっていない。あなたたちは戦争を残酷だというが、兵士たちを載せた列車を送りだすときにはそうは思っていない……ただ平和に暮らしたいと思っているだけの何千人もの善良な人々を追い立てるとあなたたちは言うが……その人々の政府がそれをもたらし

ウィリアム・T・シャーマン少将から
ジェームズ・M・カルフーン市長およびアトランタ市議会議員たちへの手紙

アトランタの諸君へ

　すべての住民にアトランタから去るよう命じた私の文書に対し、その命令の撤回を求めた諸君からの手紙を読んだ。私はそれをじっくりと読み、アトランタを離れることが諸君にとってどれほどつらいことかは十分理解している。しかし私は命令を撤回はしない。私のこの命令はアトランタの住民への同情によって左右されるようなものではなく、アトランタ市民以外の何百万もの善良な人々の今後の苦しみに深く関わるものだからだ。

　私たちはアトランタだけでなく、アメリカ全土に平和をもたらさなければならない。そのためには、かつてあれほど幸福だったこの国を荒廃させる今の戦争を終わらせなければならない。戦争を終わらせるためには、すべての国民が尊重し、したがうべき憲法と法律に反して反乱を起こした南部連合軍を打ち負かさなければならない。そしてそのためには敗走する敵を追撃しなければならず、そのために必要な物品を私たちに届ける補給路を確保しなければならない。敵軍は報復を計画しており、わが軍はこの先何年も、この地域からさまざまな作戦行動に出る必要が生じるだろう。そのための準備は、当然ながら迅速に進める必要がある。アトランタを戦略拠点と位置づける以上、ここは平和な家庭生活を営む場所ではあり得ない。

　ここでは家庭生活を営むための製造業や商業や農業は存続できないだろう。そして遅かれ早かれ住民はここを去るしかなくなるだろう。軍隊が銃弾を撃ちこみ、先月のような戦闘が起こる前に、安全に退去できる今のうちに立ち去ったほうがいいのだ。もちろん現時点ではっきりしたことは言えないが、諸君もわが軍が戦争終結までずっとここに留まるとは思っていないはずだ。詳しいことは明かせないが、戦略上アトランタのみなさんにはこの町を明けわたしてもらう必要があり、みなさんができる限りスムーズに退去できるよう私たちがとりはからうことは断言できる。

　私はみなさんより戦争の過酷さをよく知っている。戦争とは残酷なものであり、それはどうしようもないことだ。この国を戦争に巻きこんだ張本人たちにはありとあらゆる呪詛の言葉を投げつけても足りないと思う。私はこの戦争を起こしたわけではないし、みなさんの誰よりも平和を強く願っている。しかし分裂した国に平和はあり得ない。ここで合衆国が分裂を認めても戦争は終わらず、メキシコと同じように、いつ果てるともない戦争状態が続く運命が待つばかりだ……

　アメリカ合衆国の権威は独立当初のすべての地域に及んでおり、断固そうあるべきだ。すこしでも結束がゆるめば国として成り立たない。国とはそういうものだ。国はさまざまな形をとるが、わが国のそれは常に独立当初の連邦に立ちかえるべきだと私は考えている。みなさんの家や道をいまわしい戦争に利用させるかわりに、もう一度連邦であることを認め、国の政府の権威を認めてください。そうすればわが軍はすぐにみなさんの味方となり、どんな危険が迫ろうとみなさんを守ります……

たのだ」

　アトランタの産業基盤を破壊する意図があることは認めないまま、彼は「わが軍は住民のみなさんをこの町から立ち去らせる予定でいる……戦争でひどい目にあうことに抗議するのは、雷に向かって抗議するようなものだ」ときっぱり言っている。

　シャーマンは南部連合の主張には断固反対の立場をゆずらない。彼は「アトランタのみなさんが平和で穏やかな家庭生活をとりもどしたいと願うなら、それを実現するための唯一の手段は……この戦争は間違って起こり、プライドのためだけに続けられていると認めることだ」と主張し、連邦の防衛こそが最優先事項だとする。そして「もう一度連邦の権威を認めてください……そうすればわが軍はすぐにみなさんの味方となります」と書いているのだ。

　「私は平和を望んでいる。それを実現するには私たちの結束と戦争が必要なのだと信じている。しかしながら諸君、その平和が実現した暁には、どんなことでも私に求めてもらってかまわない。そのときには、私のクラッカーの最後の1枚でもあなたたちと分かち合う。そしてどんな危険からもみなさんの家と家族を守り抜く」と彼は手紙を締めくくった。

　そしてアトランタは焦土と化した。

043

フィンセント・ファン・ゴッホは
弟テオに悩みを打ちあける手紙を書く

［1880年6月23日］

フィンセント・ファン・ゴッホは、自分は何のために生きているのかと悩み続け、その精神はつねに不安に乱されて安まることがなかった。絶えず揺れ動く意識のままに書かれた兄からの長い手紙を読んだ弟のテオは、そのエネルギーを絵画に向けるよう兄に助言した。

ハーグの有力な美術商に雇われてハーグとロンドンで働いた幸福な数年間のあと、フィンセント・ファン・ゴッホは南イングランドで教師をしたりベルギーの炭鉱村でキリスト教の伝道師をしたりと、職を転々としながら不安定な生活を送った。当時の彼はまるで修道士のように藁の寝床で眠り、最小限の食事しかとらないで宗教的あるいは世俗的な内省にふけっていた。

テオ・ファン・ゴッホ

家族は彼の精神状態を心配し、父親は1880年初頭に彼は精神病院に入るべきだとまで考えた。それでもしばらくのあいだ両親の家で過ごしたあと、彼は炭鉱夫が住むベルギーの村にもどってそこで暮らし、そこからテオに手紙を書いた。表面的には、どうしても必要だった金銭を送ってもらったことに感謝し、彼に絶望している父親との和解を望む手紙だった。

しかしいったん書き始めると、その内容は彼が修道士のような生活を

フィンセント・ファン・ゴッホからテオ・ファン・ゴッホへの手紙

　あまり気が進まないのだが、やはり手紙を書くことにした。ずいぶんご無沙汰していたが、それにはいろいろ理由があったのだ。なんとなく君が私の知らない人のような感じがして、そして君から見ても私がそう見えているような気がしていた。君が思っているよりずっとね。この状態が続くのはまずいと思う。

　知っているだろうが、私はボリナージュにもどっている。父さんはエッテンの近くにいろと言ったが、私はいやだと言った。それで良かったのだと思う。私にはそのつもりがなくても、どのみち私は扱いにくい家族の厄介者、何をしでかすかわからない人間と思われているのだから。そんな私が誰かの役に立つことなどあるわけないだろう？……

　なにしろ私は気性が激しくて馬鹿げたことをする傾向がある。その点については申し訳ないと思うこともある。もう少し辛抱すればいいのに、という場面で短気を起こして後悔することも多い。だれにでもそういうことはあるように思うがね。そんな人間は、どうすればいいのだろう。自分は危険な人間だ、何もできない人間だと認めなければならないのだろうか？　私はそうは思わない。しかし自分の激しい感情を何に役立てることができるのか、いろいろやってみないことにはわからないのだ……

　私はわけのわからないことを書いて、君を困らせているに違いない。でもどうか辛抱して聞いてほしい。たとえば私の数ある情熱のうちでも、本に対する情熱は冷めたことがない。何かを学びたいという欲望は、そうだな、パンを食べたいと思うのと同じように常にある。それは君にもわかるはずだ。また別の場合を考えれば、君も知っているように私は絵を描いているときは何もかも忘れて夢中で描く。そしてそれを後悔することはない。そして田園地帯から遠く離れている今、私は田園風景を描いていたころがなつかしくてたまらない……

　そして、正確にはわからないがたぶん5年ものあいだ、私は何もしないでぶらぶらしている。こんなときあの人はどんどん駄目になっていく、落ちぶれてしまった、何も成しとげていない、と言われるのだろう。本当にそうなのだろうか？　「みんなが君に続けてほしいと思っていたかもしれないことを、どうして続けなかったのだ、大学での勉強を？」と君は言うかもしれない。その答えは簡単だ、金がかかりすぎる。それに続けたところで状況は今と大して変わらなかっただろう。

　私は自分で生活費を稼いだこともあるし、友人の好意に甘えたこともある。良かれ悪しかれ私はなんとかがんばって生きてきた。何人かの友人の信用を失ったことも、経済状態

が悪くなっていることも、将来に少なからず不安があることも事実だ。本当はもっとうまく生きられたはずだということも、生活費をかせぐためだけに時間を無駄にしていることも、私がいろいろ勉強した成果がほとんどなかったことも、私が持っているものより私に欠けているもののほうが圧倒的に多いことも、すべて事実だ。しかしそれで私は落ちぶれてしまった、何も成しとげていないと言われてしまうのだろうか？……

止めたことについての説明から、次第に彼が思う芸術の本質に関する深遠で哲学的な考察へと移っていった。彼は「私はわけの分からないことを書いて、君を困らせているに違いない」と始める。文面から浮かんでくるのは、複雑な思考が出口を失い、悩みではちきれそうになっている精神状態から、なんとか解放されたいと苦悶する彼の気持ちだ。彼は「5年ものあいだ」自分が悩んでいた時期を思いかえし「未来は決して明るくない……しかし私は今いる道を歩き続けなければならない。何もしないでいれば、何かを学ばなければ、何かに挑戦し続けなければ、私は途方にくれてしまう」と書く。彼は多くの本をむさぼるように読み、さまざまな分野の芸術を関連づけた結果、すべての芸術作品が表現しようとしているものこそ神なのではないかという閃（ひらめ）きを得ていた。

　「シェイクスピアの中にはレンブラントの何かが存在している。ヴィクトル・ユーゴーの中にはドラクロワがある。バニヤンの中にはミレーがある。福音書にはレンブラントがある。すべての人間の中には、そして人間が生みだしたすべての芸術作品の中にある真の善なるものは、神がもたらしたものだ。レンブラントの作品を愛する人は、そこに神が存在することを知ることになるだろう」と彼は書いている。

　自分が無気力で世間から孤立しているように見えることに関しては「心の中で起きていることは外に現れるものだろうか？　だれかが心の中に熱い火を燃やしていても、暖を求めてその火に近づく人がいなければ、煙突から煙が少し出ているのを見ただけで通り過ぎていく人しかいない」と反

論している。彼は自分が家族から怠け者だと思われていることを知っていた。しかし彼は「怠け者に見えるかもしれないが、私にも何かできることがあるはずだ！ 私にも存在意義はある！ 家族のみんなが私の中にどうしようもない怠け者という以外の何かを見つけられるようになったら、私はどんなに嬉しいことだろう」と強く感じていたのだ。

これはいろいろな意味で悲しい手紙だ。憂鬱という悪鬼と戦い、創造力がありながら形にできない苦しみと戦う人間が書いた手紙だ。助けを求める手紙だ。しかしこれを読んだテオは賢明にも、兄に画家としての道を進むことを助言した。

フィンセントは炭鉱夫の村の住人や風景のスケッチを始め、その秋にはブリュッセルで美術を学んだ。慢性的な憂鬱症にはその後も悩まされたが、この時から彼は、目的と情熱をもって自分の生涯の仕事に打ちこむようになったのだ。「長いあいだまるで嵐の海で転がされているような目にあってきた人間がついに目的地に着く。何の役にも立たないと思われていた人間がついに自分の役目を見つけ、まるで別人のように行動的で有能になる」と彼が希望をこめてテオへの手紙に書いていたとおりに。

044

シカゴのメソジスト・トレーニング・スクールが資金作りに乗りだす

［1888年］

20世紀のチェーンレターは良くて一時的流行、悪くすればネズミ講に巻きこまれるしろものだ。しかし初めて資金作りのためにチェーンレターを思いついたのは、女性伝道師の養成という崇高な目的をもつシカゴのメソジスト派トレーニング・スクールだった。

チェーンレターといえば、受け取り人は1週間以内に同じ文面の手紙を6人に出さなければ不幸になると脅す「不幸の手紙」が一般的だ。今のようにインターネットが普及し、郵便をやりとりする機会が少なくなる以前は、チェーンレターを迷惑行為として法律で禁止する国も多かった。

　しかし1888年に発送された最初のチェーンレターは非難を受けるいわれのない教育施設、シカゴ・トレーニング・スクール——メソジスト派の女性宣教師を養成する学校——が出した手紙だった。当時このトレーニング・センターは資金難に陥り、通常の宗教活動による収入だけでは存続が危ぶまれる状態だった。

　センターの創設者だったルーシー・マイヤーとジョサイア・マイヤーの夫妻は学校の近くだけでなく、もっと広い範囲で寄付を募りたいと考えた。しかし募金箱を広範囲に設置するにしても、寄付を依頼する手紙をしかるべき人々宛てに送るにしても、箱を作り設置する費用、文房具などの資材の代金や郵送料などかなりの費用がかかる。そのとき、困っていた彼らにチェーンレターを使うアイディアが浮かんだのだ。1通の手紙が何百通にもなる方法があるじゃないか、と。

　マイヤー夫妻は、受け取った人は10セント硬貨を1枚寄付したうえで、

3人の親しい人に同じ手紙を書いてくださいと頼む手紙を書いた。当時は現金を郵送することが違法ではなかったのだ。すばらしいアイディアだった。便箋と切手を買う費用も大量の手紙を書くための時間も節約でき、寄付してくれそうな人のリストを作る必要もない。なにしろ受け取り人が全部やってくれるのだから。

　マイヤー夫妻は最初に1500通の手紙を書いて、返事が来るのを待った。反応は早かった。10セント以上を寄付する人も多く、この学校の内容についてもっとよく知りたいと言ってくる人もあった。学校側はこのチェーンレターに「旅する募金箱」という愛称をつけた。これは初期のチェーンレターというだけでなく、出資を求める新しい形態、クラウドファンディングの走りでもあった。

　1898年には、赤十字のボランティアをしている17歳の少女が、キューバをめぐってアメリカとスペインが争った米西戦争でキューバにいるアメリカ軍兵士に氷を送る資金を募るチェーンレターを始めた。ところが彼女が住むニューヨーク州バビロン郵便局に何千通もの手紙が殺到したため、彼女の母親はこれ以上送らないでくださいと訴える文書を公開しなければならなかった。

　シカゴ・トレーニング・スクールは資金難を乗りきっただけでなく、若

ルーシー・マイヤーは1885年に夫ジョサイアとともに「国内外における伝道のためのシカゴ・トレーニング・スクール」を開設し1917年まで校長を務めていた。

PROSPERITY CLUB—"IN GOD WE TRUST"

1. Ed. Judd   703 N. Flores San Antonio Tex
2. Harry Craft   114 School St San Antonio Tex
3. Mrs. D. M. Craft   114 School St San Antonio Tex
4. James Craig   3811 S. Presa San Antonio Tex
5. P. M. Percy   3811 S. Presa San Antonio Tex
6. B. R. Brent   891 Liberty Beaumont Tex
                                          Beaumont

FAITH!   HOPE!   CHARITY!

This chain was started in the hope of bringing prosperity to you. Within three (3) days make five (5) copies of this letter leaving off the top name and address and adding your own name and address to the bottom of the list, and give or mail a copy to five (5) of your friends to whom you wish prosperity to come.

In omitting the top name send that person ten (10c) cents wrapped in a paper as a charity donation. In turn as your name leaves the top of the list (if the chain has not been broken) you should receive 15,625 letters with donations amounting to $1,536.50.

NOW IS THIS WORTH A DIME TO YOU?

HAVE THE FAITH YOUR FRIENDS HAD AND THIS CHAIN WILL NOT BE BROKEN

TALLEY PRINTING CO

チャリティーを目的とする初期のチェーンレターが成功すると、間もなくネズミ講式のチェーンレターが現れた。

い女性たちを神への奉仕に向かわせる教育をしていることへの批判も乗りこえて順調に教育を続けた。ルーシー・マイヤーはそれだけにとどまらず、牧師の補佐役である執事になるための教育の門戸を女性にも開いた。女性執事の伝統は一時期途絶えていたが、19世紀にまずドイツで、次いでイギリスで復活し、ルーシーの働きによってアメリカでも復活した。

　ルーシーは1922年に死去し、シカゴ・トレーニング・スクールは1935年にシカゴの19キロ北のエヴァンストンにある学校と合併した。その学校は今もギャレット福音神学校として神学の教育を続けている。ルーシーが始めたチェーンレターは、おそらくそれに関係した人すべてが望むものを手に入れることのできた唯一のチェーンレターだった。

045

ジョージ・ワシントン・ウィリアムズは ベルギー国王レオポルド2世に宛てた 公開状で激しい怒りを表明する

［1890年7月18日］

ジョージ・ワシントン・ウィリアムズは南北戦争で北軍に加わっていたアフリカ系アメリカ人だった。その後オハイオ州議会初のアフリカ系議員に選出された。彼は弁護士として法廷にも立った。しかし彼が戦った最強の相手はベルギー国王レオポルド2世だった。

ウィリアムズは1882年に出版されたアフリカ系アメリカ人の歴史に関する古典的な著書『アメリカにおける黒人の歴史 History of the Negro Race in America 1619–1880』の著者というだけでも十分注目に値する存在だった。1889年、彼はその著書の出版元であるアソシエイティド・リテラリー・プレス社に依頼された記事を書くためにヨーロッパを旅行し、その途中でベルギー国王レオポルド2世と面会した。

　国王は彼が個人的に所有しているコンゴという土地とその土地の開発計画について熱心に語り、その計画に従って「現住民の知識を増し、より幸福にするために誠実で実用的な努力をする」つもりだと言っていた。その翌年、ウィリアムズは「より幸福にするための」計画の実態を自分の目で見るためにコンゴを訪れた。

　彼がそこで見たのはぞっとするような実態だった。レオポルド2世はその資源を奪いつくし、住民を奴隷化して自分の利益を満たすためだけの王国を作り出していたのだ。彼が現地においた名ばかりの政府とは、大規模なゴム農園を管理し利益を搾取するだけの農園主たちの委員会にすぎず、そこで働く原住民労働者はヨーロッパとアフリカで雇われた私兵たちから

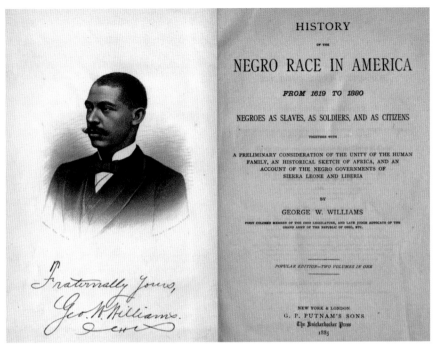

ジョージ・ワシントン・ウィリアムズは南北戦争の英雄であり、牧師であり、優れた歴史作家でもあった。

見るに堪えない虐待を受けていた。

　ウィリアムズはレオポルド2世に宛てた公開状で、国王の名のもとに行われている非人道的な行為を遠慮なく詳細に暴露した。彼は「その訪問は私を深く幻滅させ、失望させ、憤慨させました。陛下に私が見た現地の状況を率直にお知らせすることが私の義務だと思い、ここに謹んでご報告いたします」と書いている。レオポルド2世は探検家として有名なヘンリー・モートン・スタンリーがコンゴに王の所有物としての国を作る計画に加わっていた。ウィリアムズは王に「スタンリーの名を聞くと素直な現住民は身震いします。彼が守らなかった約束、口汚いののしり、かんしゃく、激しい暴力を思い出すからです」と伝えた。

　スタンリーは現地人の族長を懐柔するために何度も練習したトリックを

レオポルド2世に宛てた公開状

……昨年、陛下の所有されるアフリカの地域を訪問させていただいたことは私にとって大きな喜びでした。けれどその訪問は私を深く幻滅させ、失望させ、憤慨させました。陛下に私が見た現地の状況を率直にお知らせすることが私の義務だと思い、ここに謹んでご報告いたします。陛下個人が所有されているコンゴ国に対する私の告発は、すべて入念に調査した結果による根拠のあるものです。証人に宣誓を求め、ここに行う告発の真偽を証明するためのしかるべき国際委員会が組織されるまでは、法的に有効な証言、書類、書簡、公文書類はイギリスの外務大臣のもとにお預けしておきます。

たとえば、ヘンリー・M・スタンリーなる人物が原住民の族長と協定を結ぶために4、5人のジンバブエ人兵士を伴ったひとりの白人を、部族が住む村に派遣した例がいくつかあります。白人は、私たちは族長どうしの戦闘に心を痛めている、噂によればこれからも部族間の争いは続くようだが、そんなことは耐えられないと前置きし、私はあなたたち黒人兄弟と仲よくして、みんなが安全に幸せに暮らすために「アフリカのすべての部族をひとつにまとめたい」と言う。その白人は事前にちょっとした仕掛けを用意して、何度もリハーサルをくりかえした企みをここで実行に移す。ロンドンで買っておいたたくさんの電池を腕にとりつけて上着の袖に隠し、そこから掌までリボン状の金属片をつないであるのだ。彼が黒人の兄弟と握手すると、相手はびっくり返ってしまう。驚いた黒人がその白人はどうしてそんなに強いのかと尋ねると、一緒に来たジンバブエ人がその白人は木を引っこ抜くこともできるし、もっとすごいこともできると言う。それからレンズを使う手品もあって……

使っていた。たとえば太陽光線をレンズで集めて葉巻に火をつけたり、電池を仕こんでおいて握手した相手の手をビリッとさせたりといったトリックである。「こうしたトリックや……数箱のジンなどで、ひとつの村の住民全員が陛下のものになるという書類にサインしたのです」

　公開状で具体例としてあげられた12件の行為には「不道徳な行為」を目的に女性を輸入したこと、原住民の首に牛をつなぐ鎖を巻き、カバの皮で作ったざらざらした紐で血を流すまでなぐったこと、奴隷の「卸売りや小売り」にかかわっていること、「病気になったアフリカ人は三つの――馬を1頭入れるのも無理と思われる――掘っ立て小屋に寝かせておくだけ」で

治療しないこと、などが含まれていた。

　ウィリアムズはこの手紙を広く公開し、より詳しい内容の告発書をイギリス外務省に送った。レオポルド2世はこの告発を抑えようとしたがベルギー国民からの激しい抗議を受けてコンゴの私有を断念した。そしてコンゴはベルギー政府が管理する国の植民地となったのである。これは、みずから奴隷制度とその残酷さを経験してきたアフリカ系アメリカ人が成しとげたすばらしい業績だった。

　レオポルド2世はコンゴを一度も訪れなかった。ジョージ・ワシントン・ウィリアムズは、1891年にアフリカからアメリカに帰る途中、結核性胸膜炎で死去した。この思いがけない運命により、彼は故郷アメリカでなくイギリスの海辺の保養地ブラックプールの墓地に埋葬された。1975年には彼の功績をたたえる新しい墓石が同地に建てられた。

046

アレクサンダー・グラハム・ベルが
ヘレン・ケラーの教師
アン・サリバンに手紙を書く

［1892年1月21日］

ヘレン・ケラーは健康な赤ん坊として生まれたが、生後1年7か月で病気（今ではしょう紅熱だったと信じられている）にかかり、視力と聴力を失った。しかし彼女はふたりの恩人の助けを借りて、作家および政治活動家としてその後の豊かで長い人生をすごすことができた。ふたりの恩人は彼女の教育について頻繁に手紙で連絡しあっていた。

　　ヘレン・ケラーは赤ん坊だった1歳半ごろまでしか見ることも聞くこともできず、その後はどちらもできなくなってしまった。7歳になる1887年までのあいだは、彼女のアラバマの家で働いていた料理人の娘と一緒に考えだした手を使う方法で、60の単語のやり取りをするだけだった。その年になって、医師がアレクサンダー・グラハム・ベルに相談してはどうかと彼女の両親に提案したのだ。今では電話の発明者として有名なベルだが、耳の不自由な人への助言や教育にも力を尽くしていた——彼の母親と妻は耳が不自由な聾者だったからだ。

　ベルはヘレンの両親にボストンのパーキンス盲学校を推薦した。そしてパーキンス盲学校がケラー家に同校の卒業生だった20歳のアン・サリバンを派遣したのだ。1892年、アンはヘレンがそれまでに達成した進歩についてベルに手紙を書いた。この手紙のおかげで、ベルはヘレンの教育に興味をもつようになったのだ。彼はアンの目覚ましい成功を祝う返事を書い

［**右ページ**］アレクサンダー・グラハム・ベルはアン・サリバンがヘレンとコミュニケーションをとるために用いた方法に感動していた。ベルや実業家H・H・ロジャースらの協力と援助もあり、ヘレン・ケラーは盲聾者としては初めて大学で文学士号を取得したのだ。

MISS A. M. SULLIVAN, TEACHER OF HELEN KELLER,

Perkins Institution for the Blind, South Boston, Mass.

DEAR MISS SULLIVAN:—Allow me to thank you for the privilege of reading your account of how you taught Helen Keller, which you have prepared for the second edition of the Souvenir issued by the Volta Bureau. Your paper is full of interest to teachers of the deaf, and it contains many valuable and important suggestions.

I am particularly struck by your statement that you gave Helen books printed in raised letters *"long before she could read them,"* and that *"she would amuse herself for hours each day in carefully passing her fingers over the words, searching for such words as she knew,"* etc.

I consider that statement as of very great significance and importance when I try to account for her wonderful familiarity with idiomatic English. She is such an exceptional child that we are apt to attribute every thing to her marvellous mind, and forget that language comes from without, and not from within. She could not intuitively arrive at a knowledge of idiomatic English expressions. It is absolutely certain that such expressions must have been *taught to her* before she could use them; and if you can show us how it was done, teachers of the deaf all over the world will owe you a debt of gratitude.

The great problem in the education of the deaf is the teaching of idiomatic language. I am sure that instructors of the deaf will support me in urging you to tell us all you can as to the part played by books in the instruction of Helen Keller. We should like to form an idea of the quantity and quality of the reading-matter presented for her examination "long before she could read the books."

How much time did she devote to the examination of language which she could not understand, in her search for the words that she knew? I would suggest that you give us a list of the books she has read, arranging them, as well as you can, in the order of presentation. Teachers of the deaf find great difficulty in selecting suitable books for their pupils; and I am sure they would thank you especially for the names of those books that have given Helen pleasure, and have proved most profitable in her instruction.

You say, *"I have always talked to Helen as I would to a seeing and hearing child, and have insisted that others should do the same,"* etc. I presume you mean by this that you talked *with your fingers* instead of your mouth; that you spelled into her hand what you would have spoken to a seeing and hearing child. You say that you have "always ' done this. Are we to understand that you pursued this method from the very beginning of her education, and that you spelled complete sentences and idiomatic expressions into her hand *before she was capable of understanding the language employed?* If this is so, I consider the point to be of so much importance that I would urge you to elaborate the statement, and make your meaning perfectly clear and unmistakable.

Yours very sincerely

Alexander Graham Bell

[左]ヘレン・ケラーと彼女の終生の師であり友であったアン・サリバン。この写真は1888年7月、ヘレンがまだ8歳のときに撮影されたもの。[右]アレクサンダー・グラハム・ベル。

た。

「あなたの手紙は聾者（ろうしゃ）の教育に従事する私にとってとても興味深いものでした」と彼はアン――彼女自身も少し目が不自由だった――に書いた。アンの努力によってヘレンは何も見えず何も聞こえない世界から解き放たれ、驚くほど豊かで深い彼女の内面を表現できるようになっていた。「たしかにヘレンは並みの子どもではありません。でも、私たちはすべてを彼女の優れた頭脳のなせるわざだと考えがちですが、言葉は外部から頭に入ってくるもので、その人の内面にもともとあるものではないはずです」とベルは考察を語っている。

ベルがとくに興味をもったのは、アンとの勉強を始めてわずか3年でヘレンの語彙が驚くほど豊かになっていることだった。彼女の語彙は日常生活で使う言葉や何かを頼むときに使う単語――疲労や空腹や喜びなどを伝える単語――の域を越えて、慣用表現にまで及んでいた。事実を伝える実

用的な語彙だけでなく、修辞学や文学に使われる表現も使いこなしていたのだ。彼女はどのようにしてそれを学んだのか？　「あなたがそれを成しとげた方法を教えてくれれば、世界中の聾学校の教師たちはどれほど感謝することでしょう！」とベルはアンに書いた。

　しかし、じつはそれ以前からアンは彼女の方法について知らせてはいたのだ。彼女はヘレンに文字が浮き出すように印刷された書物を「読めるようになるずっと前から」与え、ヘレンが「毎日何時間も夢中になってその本のページに触れて、自分が知っている単語を見つけようとして」いたことを報告していた。これが、聾者が基本的な表現を使って必要最小限のコミュニケーションをとるだけだった従来の状態を脱するスタートになったのだ。アンは「私はいつも、目が見えて耳も聞こえる子どもに話すのと同じようにヘレンと話し、ほかの人にもそうするように頼んでいました」と書いている。

　その後1年もしないうちにヘレンは詩を書くようになった。それを読んだベルは「思考の深さ、表現の豊かさにおいて[私たちの知る偉大な詩人の]ほとんどに勝るとも劣らない」と評している。ベルがサリバンを励まし続けたおかげで、ヘレン・ケラーは国の内外でその名を知られるようになった。13歳のヘレンに紹介されたマーク・トウェインも、アン・サリバンの指導により誇り高く知的に育ったヘレンに深い感銘を受けたのである（大人になったヘレン・ケラーが老境にあるグラハム・ベルに宛てた手紙については巻末の補遺を参照されたい）。

047

ビアトリクス・ポターは 5歳のノエル・ムーアを励ますために 絵手紙を書く

［1893年9月4日］

ビアトリクス・ポターと弟のバートラムはロンドン南西部の家で、住み込みの女性家庭教師とともに孤独な子ども時代を過ごした。彼女が絵本作家として大成したのは、何人か交代したうちの最後の家庭教師アン・ムーアのおかげと言える。そもそもの始まりはアンの息子ノエルに送った1通の絵手紙だった。

少女時代のビアトリクスはほかの子どもと遊ぶことはほとんどなく、夏は家族とイングランドの湖水地方かスコットランドのパースシャーで過ごしていた。彼女は田舎の風景をすみずみまで観察し、両親から受けついだ絵の才能を発揮していた。ビアトリクスの成長にともないアン・ムーアは家庭教師というより彼女の話し相手のような存在になり、ビアトリクスはアンの幼い子どもたちによく手紙を書いていた。

1893年の夏にはアンの長男ノエルが病気になったので、ビアトリクスは彼を元気づけようと、せっせと手紙を書いた。スコットランドのテイ川のほとりにあるダンケルド村で夏休みを過ごしていたビアトリクスにノエルへの手紙に書くような新しい出来事がそうそうあるはずもなく、「早く元気になってね」の代わりになる何かをさがしていた。そこでその年の9月4日付の手紙に「何を書いたらいいかわからなくなってしまったから、きょうは4匹の子ウサギのお話を書きます。その子たちの名前はフロプシー、モプシー、コットンテール、ピーターです」と書いた。

ビアトリクス・ポターのファンなら誰でも知っているように、これが『ピーターラビット物語』の始まりだ。ピーターはビアトリクスがペットに

していた本物のウサギの名前で、彼女はよくそのウサギのスケッチを描い
ていた。ビアトリクスはピーターの前にベンジャミンというウサギを飼っ
ていて、少し後にはそのウサギもベンジャミンバニーとして登場すること
になる。ビアトリクスは前からインクで描いた挿し絵を手紙に添えていた
のだが、このノエル宛ての手紙で初めてピーターラビットの物語を書き、
彼女を有名にしたピーターラビットの絵もそこに初めて描いたのだ。

　手紙を受けとったノエルはもちろん大喜びだった。母親であるアンはか
つての教え子の才能に気づき、この物語を子ども向けの絵本にすることを

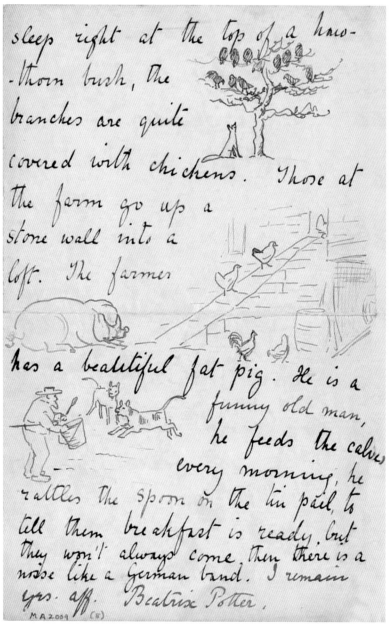

sleep right at the top of a haw-
-thorn bush, the
branches are quite
covered with chickens. Those at
the farm go up a
stone wall into a
loft. The farmer

has a beautiful fat pig. He is a
funny old man,
he feeds the calves
every morning, he
rattles the spoon on the tin pail, to
tell them breakfast is ready, but
they won't always come, then there is a
noise like a German band. I remain
yrs. aff. Beatrix Potter,

ビアトリクスがアン・ムーアの子どもたちに送った絵手紙の一例。
子どもたちは彼女の手紙を大切に保管していた。

勧めた。ビアトリクスと弟のバートラムは以前に自分たちがデザインしたクリスマスカードを売り出したことがあったので、出版の世界と無縁ではなかった。出版社のひとつに当たって断られた彼女は、白黒印刷で250部を自費出版した。そしてそのうちの1冊に次のような悲しい「お知らせ」を書いた。

　「1901年1月26日に9歳で生涯を終えたかわいそうな年寄りのピーターラビットの思い出に愛をこめて……とても頭が良かったわけでもなく、毛並みや耳や足の形も完ぺきではなかったけれど、いつも愛想がよく、誰にでも優しかった。愛情深い仲間で物静かな友だった」

　この本はすぐに200部増刷され、その噂はビアトリクスの申し出をことわった出版社フレデリック・ワーン社にも届いた。ワーン社はエドワード・リア、ケイト・グリーナウェー、ウォルター・クレインなどの作家の子ども向けの絵本を出版してきた出版社だった。『ピーターラビット物語』はカラー印刷になってフレデリック・ワーン社から1年目に2万部出版され、以後27年にわたり同社からビアトリクス・ポターの22の作品が出版された。その後『ピーターラビット物語』のメンバーに加わった仲間にはリスのナトキン、カエルのジェレミー・フィッシャーもいるが、彼らもノエル・ムーアへの手紙でデビューしている。

　引退後のビアトリクス・ポターは湖水地方で過ごした。そして絵本の出版で得た資金を使ってその地域の農場をいくつか購入することで、地域の自然環境の保護に努めた。今では湖水地方とダンケルドの両方に彼女の作品などを展示する美術館がある。どちらも小さな庭があり、彼女が手紙に描くことで世に出た動物たちの像がそこに住んでいる。

048

ピエール・キュリーがマリアに、彼の所にもどって一緒に研究してほしいと頼む手紙を書く

［1894年8月10日］

パリのピエール・キュリーのもとで短期間の研究生活をすごしたのち、マリア・スクウォドフスカは母国ポーランドにもどって研究を続けようとした。彼女に恋をしていたピエール・キュリーは、のちに多くの人が「ピエールの最大の発見」と評した女性、ノーベル賞を2度受賞した唯一の女性科学者をなんとかパリに呼びもどそうとする。

マリア・スクウォドフスカは、当時はロシア帝国の一部だったポーランドのワルシャワで生まれた。そしてポーランドの愛国者たちが文化と教育のロシア化に抵抗して開いていた「さまよえる大学」でこっそり科学を学んだ。1891年、彼女はもっと自由に研究を続けるためパリに移り、そこでピエール・キュリーの研究所の研究員になった。

当時ピエールは圧電性物質——今ではデジタル回路に欠かせない技術となっている——に関する画期的な研究を行っていた。ピエールは1894年に、ポーランド人物理学者ヨセフ・ヴィエルシュ・コワルスキーからマリアを紹介された。マリアはピエールの研究の邪魔することは一切なく、むしろよく理解し貢献する理想的な研究員であることがすぐにわかった。ピエールは初めのうちはマリアの科学者としての能力を高く評価するだけだったが、次第に彼女の洞察力を当てにするようになった。やがてマリアは彼にインスピレーションを与える存在になり、ついには恋愛の対象になった。

彼はマリアに結婚を申しこんだが、マリアは断った。1894年の夏、マリアは2か月の休暇をとって、当時スイスのフリブールで教師をしていた

マリアの研究は物理学、化学両分野における既成概念をくつがえし、女性科学者の先駆者として学問の世界に新風を吹き込んだ。

コワルスキーを訪ね、そこから新鮮な空気を満喫していると伝える短い手紙をピエールに出した。受け取ったピエールは飛びあがって喜んだ。そして8月10日付の手紙に「あなたからのお便りが届いてとてもうれしいです。……そちらで新鮮な空気をたくさん吸って元気をたくわえて、10月にはこちらへ戻ってきてください」と書いた。

それはやさしい思いのこもった手紙だった。いったん断られているので、マリアを永遠に失うことを恐れた彼は、自分の気もちをあまり強く押しつけすぎないよう気を使っていた。「私たちは約束しましたよね？　せめて良い友人同士でいようと」そして「私たちが夢中になっている夢——祖

ピエール・キュリーからマリア・スクウォドフスカへの手紙

　あなたからのお便りが届いてとてもうれしいです。2か月も連絡がとれないなんてとても耐えられないと思っていましたから。要するに私は有頂天になっています。

　そちらで新鮮な空気をたくさん吸って元気をたくわえて、10月にはこちらへもどってきてください。私はといえば、どこへも行かないつもりです。田舎にこもって窓をあけて一日中外を見ているか、庭で過ごすかしています。

　私たちは約束しましたよね？　せめて良い友人同士でいようと。あなたの気もちが変わらないことを願うばかりです！　約束だけでは絶対とはいえないですから。そういうことは勝手に命令できることではないですからね。どちらにしても、私たちが夢中になっている夢——祖国についてのあなたの夢、人道的な問題に関する私たちの夢、科学者としての私たちの夢——を実現させるために人生を共に過ごせたらすばらしいことだと、私はどうしても考えずにはいられません。

　たくさんの夢の中でいちばん最後にあるのは法律に関するものです。法律に反して社会秩序を変えるには私たちは無力だし、仮に力があっても何をすべきかわからないでしょう。何をめざして行動すればいいのか、避けられない進展を遅らせることで良い結果より悪い結果をもたらすことはないのかについても、私たちは確信がもてないかもしれない。しかし科学者としてなら、私たちには何かできるかもしれない。科学にはしっかりした基盤がある。私たちが成しとげる発見がどんなに小さなものでも、その成果は蓄積されていつか何かの役に立つかもしれない。私たちに何ができるか考えてみましょうよ。お互いに良い友人でいることは確認しました。でもあなたが1年以内にフランスを去れば、それはプラトニックな友人関係のまま終わってしまう。ふたりは二度と会うことはないでしょう。私と一緒にここにいたほうがいいのではないでしょうか？　こんなことを言えばあなたは怒り、二度とその話はしたくないと思うでしょう。そして私はあらゆる点から見て、自分はあなたにふさわしくないと感じることになるのでしょう。

　じつはフリブールで会ってもらえませんかとあなたにお願いしようかと思っていたところでした。でもあなたはそこに、私の勘違いでなければ1日だけ、そこにいるのですね。もちろん私たちの友人であるコワルスキー夫妻の所ですね。

あなたの忠実な
ピエール・キュリー

　国についてのあなたの夢、人道的な問題に関する私たちの夢、科学者としての私たちの夢——を実現させるために人生を共に過ごせたらすばらしいことだと、私はどうしても考えずにはいられません」と望みを伝えている。

彼がいちばん強調したかったのは自分たちの力では実現が難しい夢もあるが「科学者としてなら、私たちには何かできるかもしれない」ということだった。のちにふたりがどれほど偉大な貢献をするか、彼はまだ知らなかった。そしてつとめて軽い調子で「私たちに何ができるか考えてみましょうよ」と語りかけてから「あなたが1年以内にフランスを去れば、それはプラトニックな友人関係のまま終わってしまう……私と一緒にここにいたほうがいいのではないでしょうか？」と続ける。そしてまた「こんなことを言えばあ

マリアはピエール・キュリーからの最初の求婚を断った。彼女はポーランドに帰って科学者としてのキャリアを積みたかったのだ。

なたは怒り、二度とその話はしたくないと思うでしょう」と、少し後退するのだった。

　マリアは1年後にパリを去ることはせず、ふたりでもう一度話し合って1895年7月25日に結婚した。その後ふたりは深く愛しあって人生を共にすごした。結婚祝いには少し遅かったが、ピエールとマリー（マリアからフランス風のマリーに改名していた）のキュリー夫妻には1903年にノーベル物理学賞が授与された。マリーは1911年にノーベル化学賞も受賞して、ふたつの異なる分野で受賞した唯一の人物となった。愛情とふたつのノーベル賞……ピエールのもとにもどった甲斐はあったと言えそうだ。

049

オスカー・ワイルドが
レディング刑務所から
アルフレッド・ダグラス卿に手紙を書く

［1897年1–3月］

オスカー・ワイルドにとって刑務所生活は耐えられないものだった。1895年にアルフレッド・ダグラス卿との同性愛の罪で収監され、重労働を課せられた彼は肉体的にも精神的にもつらい日々を送っていた。そこへ新しく着任したレディング刑務所の所長は、治療の名目で彼に手紙を書かせた。

獄中のワイルドは読書や会話から得られるはずの知的刺激をほぼ完全に奪われていた。しかし1897年の初めに刑務所長が代わったことで、状況は改善された。新任の刑務所長ジェームズ・ネルソンがまず行ったことのひとつは、彼が自分の本をワイルドに貸したことだった。そのやさしさにワイルドは涙を流した。

　ネルソンはさらにもうひとつ、オスカー・ワイルドに特権を与えた。著名な作家であり、鋭い知性の持ち主として知られていたワイルドに、収監されて以来初めて書くことを許可したのだ。ワイルドに紙とペンを与え、物書きとしての才能を存分に発揮させたのである。ワイルドは一晩中書きつづけたり、書いたものをだれかに送ったりすることは許されなかった。ネルソンはこの許可を純粋な治療、彼の言葉を借りれば「医療目的の行為」と見なしていたのだ。

　ワイルドは、彼がボージーという愛称で呼んでいた元恋人アルフレッド卿への手紙を書き始めた。ワイルドはボージーと関係したせいで名声を傷つけられ、同性愛の罪で刑務所に入れられたわけだが、ボージーのほうは父親を激怒させただけのことで、獄中のワイルドに手紙を書きもしなかっ

オスカー・ワイルドが治療として書いた手紙の一部は1905年に『深き淵より』のタイトルで出版され、すべての手紙が1962年に『オスカー・ワイルド書簡集』として出版された。

た。ワイルドは「ボージー、長いあいだ待っていたが君からは何も連絡がないので、こちらから手紙を書くことにした。これは君のためでもあるが私自身のためでもある。あとになって君から1行の手紙も来ないまま2年間も獄中で過ごしたと考えるのは嫌だろうと思うからだ」と書いている。

　『ウィンダミア卿夫人の扇』や『真面目が肝心』などの喜劇を書いた不真面目な劇作家として知られていた彼も、ここでは冗談を言う気分ではなかったようだ。2年間というもの自分の考えを発表する機会のないまま孤独な思考にふけっていたワイルドの手紙には、ボージーとワイルド自身の精神性に関する内省が20ページにわたり存分に書かれていた。

　アルフレッドへの盲目的な恋愛感情はもはや消えていた（そうは言っても多少の未練は残っていた）ワイルドは、手紙の最初の部分で、快楽主義的で自己中心的なアルフレッドが自分の生活と作品に与えた影響について考察している。3年間ふたりで続けた派手な生活のせいでワイルドの経済状態は破

オスカー・ワイルドからアルフレッド・ダグラス卿への手紙

……苦悩とはひと続きのとても長い時のことだ。そこに季節の区切りはない。その時の気分を記録し、それがもどってくる周期を記録することしかできない。ここでは時間そのものが前に進まない。それは回転する。どうやら時間は、ひとつの苦痛を中心として周囲をぐるぐる回っているようだ。生活のあらゆる場面が、法律にもとづく鉄の掟にしたがって十年一日のごとく食べて飲んで横になり、祈るあるいは祈るためにひざまずくことのくり返しだ。この変化のなさのせいで、繰りかえされるおぞましい日々のほんの小さなできごとのひとつひとつが、常に変化する外の世界とのつながりを保っていることを感じさせるのだろう。種まきの時期、収穫の時期、トウモロコシの実を刈りとる農夫、ブドウの木の間に並んで実を摘みとる農夫、散った花びらの白で埋まる果樹園の下草、あるいはそこに落ちている果実といったものについて、私たちは何も知らない。まったく知らない。

　私たちにはただひとつの季節、悲しみの季節しかない。太陽も月も奪われてしまったようだ。外の世界の日中は青色と黄金色に染まっているかもしれない。しかし鉄格子のはまった小さな窓の分厚い曇りガラスの下に座っていても、灰色のかすかな光が見えるだけだ。独房の中はいつも薄暮のようで、そこにいる囚人の心と同じ色をしている。時間と同じように、思考も動かない。もう何も動かない。かつて頭の中にあってずっと前に消えうせた思考やそうでなくても簡単に忘れられるようなことが、今日も明日もくり返しよみがえってくる。君にこのことを覚えておいてほしい。そうすれば、なぜ私が君にこれを書いているのか、どうしてこんな書き方をしているのかが理解できるだろう……

　その1週間後、私はここに移された。3か月前に私の母は死んだ。私が母をどれほど深く愛し敬っていたか、誰にもわからないだろう。母が死ぬなんて耐えられないことだ。それなのに、かつては言葉を自在に操っていたこの私が、私の苦悩と後悔を語る言葉を見つけられないでいる。母は私の父とともに高めたワイルドという家名を私に残してくれた。単に文学とか芸術とか考古学とか科学とかの面だけでなく、私たちの国全体の発展に寄与し、歴史に足跡を残した。その家名を私は永久に汚してしまった。泥まみれにしてしまった。家名を卑しめる獣たちの手にわたし、恥辱におとしめる愚か者たちの手にわたしてしまった。

　そして私が悩み苦しみ、今も苦しみ続けているのは書くためのペンと紙がほしいなどということではない。いつも私にやさしく尽くしてくれた妻のこと、私と別れてジェノヴァからイギリスに旅をして、病気で命を落としてしまった妻のこと。取りかえしのつかない、癒しようのない痛手。今も私を大切に思ってくれている多くの人たちが、心のこもったメッセージを送ってくれた。個人的な付きあいのなかった人でさえ、私をおそった新しい悲しみを知ってお悔みの言葉を伝えてくれた……

綻し、下品で満たされることのない欲情だけに動かされ、見境のない食欲と止まることのない物欲を追求するアルフレッドのせいで、ワイルドの作家としての創造力も枯渇してしまった。アルフレッドの利己的な虚栄心を批判する一方で、ワイルドは自分自身についても情欲に負けて自分の才能を見失ってしまっていたと悔やんだ。「ほとんどの人間は愛と称賛を求めて生きている。しかし私たちは愛と称賛を糧にして生きるべきなのだ」と彼は考えた。

　俗世におけるボージーとの関係を離れてキリスト教に思考を移したワイルドは「イザヤ書」の「彼は軽蔑され、人々に見捨てられ、多くの痛みを負い、病を知っている」という言葉を引用した。彼は喜びと成功ではなく苦しみ悩むことが、心の平安を得るための鍵だと信じるにいたったのだ。彼は刑務所における彼自身の経験から、収監されているほかの囚人から、そしてイエス・キリストからそのことを教えられた。そして「この哀れな場所にいる私を含めた哀れな男たちの誰ひとりとして、象徴的な意味で人生の本質に触れていない者はいない。なぜなら人生の本質は苦しみ悩むことだからだ」と書いている。

　この手紙からは、ワイルドが単に喜びを追求するだけの生き方に終止符をうち、人生における新しいバランス感覚を獲得したことが読みとれる。「世界の美しさを見つめ、そこにある悲しみを分かちあうことのできる者、そのふたつに秘められた不思議な何かを解きはなつことができる者は……誰よりも神の秘密に近づいた者だ」と彼は考えていた。

050

作家エミール・ゾラは
フランス陸軍の反ユダヤ主義的
陰謀を告発する

［1898年1月13日］

それはフランス社会を二分した事件だった。1894年にフランス陸軍大尉アルフレッド・ドレフュスがスパイ容疑で有罪となった。しかし彼が書いたとされる証拠書類の筆跡は彼のものとは似ていなかった。当時の文学界の巨匠エミール・ゾラはドレフュスの弁護に立ちあがる。

エミール・ゾラは、ロマンティシズムよりもリアリズムと社会的な主張を作品に込めようとする自然主義文学の草分けとして知られる作家、劇作家だった。炭鉱夫の生活に影を落とす資本主義の実態を暗鬱に描いた『ジェルミナール』は評判をよび、1898年には文壇の大家のひとりとなっていた。

スパイ容疑で収監されているドレフュスは無罪で、フェルディナン・エステルアジ陸軍少佐が真犯人だったことを立証する電報が発見されたとき、陸軍はその事実を隠蔽しエステルアジを守った。軍はドレフュスの有罪を補強する証拠をさらに捏造し、新証拠を発見した軍人をチュニジア勤務にした。それでも新証拠発見の事実を隠しとおすことはできず、ドレフュスの無罪を信じる声は高まって

ユダヤ系フランス人で、陸軍砲兵隊の士官だったアルフレッド・ドレフュスは、軍の機密をパリのドイツ大使館にもらした罪で告発された。

エミール・ゾラの公開状の結論部分

……長い手紙になった。そろそろ結論を述べなければならない。

　私はデュ・パティ・ド・クラム陸軍少佐を正義に反するこの過ちを犯した罪で告発し──故意ではなかった、と信じたいところだが──3年間におよびその事実を隠蔽し、さまざまな謀略をめぐらせてきたかどで告発する。

私はメルシエ将軍を共謀の罪で告発する。少なくとも今世紀最大の陰謀事件のひとつに断固たる態度でのぞまなかったことは共謀の罪に値する。

私はビヨ将軍を告発する。政治的な思惑と参謀本部の体面を守る目的からドレフュスが無実であることを証明する絶対的な証拠を握りつぶしたことは、人類と正義に対する罪である。

私はド・ボアデッフル将軍とゴンス将軍を共謀の罪で告発する。ド・ボアデッフル将軍は明らかに宗教的偏見から、ゴンス将軍はおそらく陸軍省を不可侵の聖域としてしまった一体感のゆえに不正に加わった。

私はド・ペリユ将軍とラヴァリ少佐を、偏見に満ちた悪意ある尋問を行った罪で告発する。その尋問はラヴァリ少佐の証言によれば、不遜な愚か者に対して終わることなく続けられた。

私は筆跡鑑定の専門家であるベロム、ヴァリナール、クアールの三氏を虚偽と捏造からなる報告書を提出した罪で告発する。彼らの視力と判断力が医学的な見地から損なわれていたという検査結果がない限り……

いった。

　ゾラはフランス大統領に宛てた公開状を書き、それは1898年1月13日付のオロール紙の朝刊の一面に「私は告発する……！」の大見出しとともに掲載された。公開状は陰謀に加担した10名の名前をあげており、そこには、ドレフュスをスパイと決めつける証拠となった書類の筆跡が、彼のものとは似ても似つかなかったにもかかわらずドレフュスのものと鑑定した3名

の専門家の名前も（「彼らの視力と判断力が医学的な見地から損なわれていたという検査結果がない限り……」とのコメントつきで）記されていた。

ゾラはまず、ドレフュスを有罪としエステルアジを無罪放免とするにいたった過程を明らかにし、それを「犯罪者が涼しい顔で世間をわたり、無実の人間が汚名を着せられる結果を招いたとんでもない尋問」だと批判した。ゾラは「『ユダヤ野郎』だからというだけでその人物が不幸にも生け贄にされた」背景には反ユダヤ主義があったと確信していた。そして「彼はいくつもの言葉を使いこなすことができる……犯罪だ！　彼は怪しい書類を

組織ぐるみの陰謀を告発したゾラの公開状は朝刊のトップニュースだったが、フランス社会の反応は真っぷたつに分かれた。ゾラの公開状は世界中に知れわたった。

まったく身につけていない……犯罪だ！　彼は仕事熱心で多くの情報を得ようとしていた……犯罪だ！　彼は混乱しなかった……犯罪だ！」と書いてドレフュスを断罪した者たちをからかった。

　ゾラはあくまでもドレフュスを有罪にしようと企んだアルマン・デュ・パティ・ド・クラム少佐をもっとも強く批判し「彼こそがドレフュス事件を『捏造』し、すべてを画策した張本人だ」と断罪した。

　デュ・パティ・ド・クラム少佐を名指ししたことにより、ゾラは名誉棄損罪で告発された。公開状を発表した6週間後、有罪を宣告されたゾラは収監を逃れるためにイギリスへ逃亡した。このスパイ事件の真犯人であるエステルアジは公開裁判で無罪とされ（そのせいでゾラは公開状を書かずにはいられなくなった）、円満に軍を退職したものの、その年の終わりにはイギリスに移り住み、偽名を使って残りの人生を過ごした。

　ドレフュスを有罪にした証拠書類を捏造した陸軍士官は逮捕されたが、公判が開かれる前に自殺した。デュ・パティ・ド・クラム少佐はドレフュス事件に深くかかわったせいで左遷され、1901年に陸軍を退職した。第一次世界大戦が近づいたため軍に復帰したが、第一次マルヌ会戦で負った傷がもとで1916年に死亡した。

　有罪を宣告されたドレフュスは軍籍を奪われ、所属部隊の隊員の面前で徽章をむしり取られ、軍刀を折られた上に、フランスの悪名高い流刑地悪魔島に送られた。1899年、ゾラの公開状のおかげで特赦が行われて自由の身になったが、もともと冤罪の被害者だった彼が完全に無罪と認められたのは1906年のことだった。

謝辞

本書に写真や手紙、資料の提供、掲載を許可してくださった以下の方々に感謝いたします。

African Studies Center (University of Pennsylvania), Alamy, Archives National (France), Art-vanGogh.com, Associated Press, Atlantic Monthly, AtomicArchive.com, Beatrix Potter Gallery, Beinecke Rare Book and Manuscript Library, BlackPast.org, Bletchley Park, Bonhams, British Library, British Online Archives, Cambridge University Library, Christie's London, Daily Mail, Digital National Security Archives, Dwight D. Eisenhower Library and Museum, Eddie Jordan Racing, English Heritage, Franklin D. Roosevelt Presidential Library and Museum, Founders Archives.org, FriendsOfDarwin.com, General Register Office, Getty Images, The Guardian, The Independent, International Institute of Social History, Jewish Virtual Library, John F. Kennedy Presidential Library and Museum, The Karl Marx House, Karpels Manuscript Library, Lambeth Palace Archives, Library of Congress, Mary Evans Picture Library, Massachusetts Historical Society, Metropolitan Museum of Art (New York), Motorsport News, National Air and Space Museum (Smithsonian), National Archives (Kew), National Gallery (London), National Maritime Museum (Greenwich), National Museum of Capodimonte, Nelson Mandela Centre of Memory, Newport Historical Society, New York Times, Ohio State University, Oxford Institute, Parliamentary Archives (London), Pavilion Image Library, Perkins School for the Blind, Portal de Archivos Españoles, Presidential Library (Moscow), The Postal Museum (London), Sackett Family Association, Simon Wiesenthal Center, Sotheby's, Thomas Fisher Rare Book Archive, Times Up, University of Michigan Library, University of Nebraska-Lincoln, Venganza.org

索引

[著者]

コリン・ソルター
Colin Salter

歴史作家。マンチェスターメトロポリタン大学
(イギリス)とクイーン・マーガレット大学(スコッ
トランド・エディンバラ)で学位を取得。邦訳書
に、『歴史を変えた100冊の本』(エクスナレッジ)、
『世界を変えた100のポスター 上・下』、『世界を変
えた100のスピーチ 上・下』、『世界で読み継がれ
る子どもの本100』(以上、原書房)などがある。

[訳者]

伊藤はるみ
Harumi Ito

1953年名古屋市生まれ。愛知県立大学外国語学
部フランス学科卒業。翻訳家。主な訳書にマテ
『身体が「ノー」と言うとき』(日本教文社)、ウィル
キンソン『古代エジプト・シンボル事典』、ドハ
ティ『図説アーサー王と円卓の騎士』、ウェスト
ウェル『大英図書館豪華写本で見るヨーロッパ中
世の神話伝説の世界』(以上、原書房)などがある。

100 Lettes that Changed the World
by Colin Salter

Copyright © B.T. Batsford Holdings Limited
First published in the United Kingdom in 2019 by Batsford, an
imprint of B.T. Batsford Holdings Limited, 43 Great Ormond Street,
London WC1N 3HZ
Japanese translation rights arranged with Batsford, an imprint of B.T.
Batsford Holdings Limited, London through Tuttle-Mori Agency,
Inc., Tokyo

世界を変えた100の手紙 上
聖パウロからガリレオ、ゴッホまで

2023年1月31日　初版第1刷発行

著者―――――――コリン・ソルター
訳者―――――――伊藤はるみ
発行者―――――――成瀬雅人
発行所―――――――株式会社原書房
　　　　　　　　　〒160-0022
　　　　　　　　　東京都新宿区新宿1-25-13
　　　　　　　　　電話・代表 03(3354)0685
　　　　　　　　　http://www.harashobo.co.jp
　　　　　　　　　振替・00150-6-151594
ブックデザイン―――小沼宏之［Gibbon］
印刷―――――――シナノ印刷株式会社
製本―――――――東京美術紙工協業組合

© office Suzuki, 2023
ISBN978-4-562-07251-4
Printed in Japan